L'homme qui s'es

(Oncle Simon)

H. De Vere Stacpoole , Margaret Robson Stacpoole

Writat

Cette édition parue en 2023

ISBN : 9789359253282

Publié par
Writat
email : info@writat.com

Contenu

PARTIE I

CHAPITRE PREMIER
SIMON

La rue King Charles se trouve à Westminster ; vous tournez un coin et vous vous retrouvez dans Charles Street comme on pourrait tourner un coin et se retrouver dans l'Histoire. Les bon marché, les méchants et les nouveaux disparaissent, et de belles vieilles maisons confortables de briques rouges, assombries par le temps et le brouillard, vous emmènent sous leur garde, vous disent que la reine Anne n'est pas morte, vous amusent avec des photos de chaises à porteurs et de courses. des valets de pied et vous renvoient à l'autre bout, dans le vingtième siècle d'où vous venez.

Simon Pettigrew vivait au n° 12, où avaient vécu avant lui son père, son grand-père et son arrière-grand-père, tous avocats. Si respectée, si enracinée dans le sol des Tribunaux qu'elle est moins une famille d'avocats qu'une petite institution anglaise. Dissociez entièrement votre esprit de toutes les petites questions de litige en rapport avec les Pettigrew , Simon ou l'un de ses ancêtres se serait présenté tout aussi facilement en manches de chemise dans Fleet Street que devant le tribunal de comté ou de police pour ou contre l'accusé ; c'étaient d'anciens avocats de famille et ils avaient en leur possession une bonne partie des vieilles familles anglaises : des coffrets d'actes remplis de papiers, des secrets à faire friser les cheveux.

Pour le grand public, cette grande et puissante entreprise était presque inconnue, et pourtant Pettigrew et Pettigrew avaient retranché suffisamment d'héritiers pour fournir la matière à une douzaine de romans de Braddon, avaient étouffé de nombreuses tragédies hurlantes de la grande vie et les avaient enterrées en pleine nuit, et tout cela sans une ride sur le front de la vieille entreprise placide qui a dirigé son programme sous les règnes de Georges, a pris du tabac à l'époque de Palmerston et, à l'époque d'Edward Rex, a toujours refusé d'employer la machine à écrire.

Simon, le dernier de la maison, célibataire et sans parent proche, avait au moment de cette histoire fêté ses soixante ans. C'était un homme rasé de près, aux yeux brillants, d'un type démodé, posé, célèbre pour sa cave, et membre de de l' Athénée . Un homme que vous n'auriez jamais imaginé posséder un passé. Jamais je n'aurais imaginé être rempli de cette joie de vivre mi-diabolique, mi-angélique qui conduit aux folies de la jeunesse.

Simon, entre vingt et un et vingt-deux ans, avait pourtant sillonné la ville vigoureusement plus que vicieusement, hanté les soupers d'Evans, tombé follement amoureux d'une actrice, profité de la vie comme seuls les jeunes peuvent en profiter. la vie dans le pays magnifique, éblouissant et trompeur de la Jeunesse.

Conduire dans des fiacres était alors un plaisir ! Des vêtements neufs et des chemises et cravates extravagantes un délice, déesses actrices. Puis, un jour, son actrice s'est révélée actrice, et la nuit suivante, il est sorti du Cocoa Tree avec une dette de jeu de mille livres qu'il ne pouvait pas payer. Son père a payé sa promesse de tourner la page, ce qu'il a fait. Mais sa jeunesse fut freinée, son éclat éclipsé, et bras dessus bras dessous avec son bon sens, il entreprit le long voyage qui le conduisit enfin à la position élevée d'un riche avocat de soixante ans, sans joie, sans amour, désolé, respecté, très respecté. En fait, moins un homme qu'une entreprise. Il lui restait pourtant, comme héritage de sa jeunesse, un très joli esprit, une façon de parler irresponsable lorsqu'il se trahissait, comme dans les dîners.

CHAPITRE II
BOUE

Mudd était le factotum, le majordome et le ministre des affaires inférieures de Simon. Mudd avait soixante-cinq ans et un peu ; il était au service de la famille Pettigrew depuis quarante-cinq ans et avait grandi, pour ainsi dire, aux côtés de Simon. Depuis vingt ans, chaque matin, Mudd apportait le thé de son maître, fermait ses stores et disposait ses vêtements – environ sept mille fois, en tenant compte des vacances et des maladies. C'était un vieil homme rasé de près, aux épaules arrondies et à l'allure devenue émoussée par un long usage ; il ne « monsieur » Simon qu'en présence des invités et des domestiques, et avait une manière ouverte de parler des affaires quotidiennes, confinant à la franchise conjugale dans sa franchise occasionnelle.

Ce matin, le 3 juin, Mudd, après avoir baissé les stores de son maître et disposé ses bottes et ses affaires de rasage, a disparu et est revenu avec ses vêtements brossés et pliés, et une cruche d'eau de rasage qu'il a posée sur le lavabo. .

"Vous n'aurez plus les bras de ce vieux manteau si vous continuez à le porter plus longtemps", grommela Mudd en plaçant les affaires sur une chaise. "Il est porté depuis près d'un an et demi ; tu es lourd au coude gauche, c'est le bureau qui le fait."

"Je vais voir", dit Simon.

Il connaissait très bien la suggestion qui résidait dans le ton et les paroles de Mudd, mais une visite chez ses tailleurs équivalait presque à une visite chez ses dentistes, et les vêtements neufs étaient une horreur. Il lui fallut quinze jours pour s'habituer à un nouveau manteau, et quant à être miteux, eh bien, un état de misère décent faisait partie de sa personnalité et, vaguement peut-être, de sa fierté de vivre. Il pouvait se permettre d'être minable.

Mudd ayant disparu, Simon se leva et commença sa toilette, se baignant dans une baignoire en étain – une baignoire plate en étain victorienne – et se rasant avec un rasoir pris dans une caisse de sept, chacun marqué d'un jour de la semaine.

Ce rasoir était marqué "Mardi".

Après avoir soigneusement séché « mardi » et l'avoir remis entre « lundi » et « mercredi », Simon ferma l'étui avec le soin et la précision qui marquaient tous ses gestes, finit de s'habiller et regarda par la fenêtre quel genre de jour il faisait. était.

Un éclat de ciel bleu magnifique aperçu sur les toits des maisons opposées l'en informa, le laissant sans enthousiasme, puis, après avoir remonté sa montre, il descendit dans la salle à manger jacobéenne, où du thé, des toasts, du bacon frisé et un *des temps* bien diffusés l'attendaient.

À dix heures moins le quart, Mudd ouvrit la porte du hall, vérifia que le coupé attendait et informa son maître, l'aida à enfiler son pardessus – un pardessus d'été léger – et lui ferma la portière.

Un peu après dix heures, Simon arriva au Old Serjeants' Inn et entra dans son bureau.

Brownlow, le commis en chef, venait d'arriver, et Simon, lui faisant un signe de tête, passa dans sa chambre privée, où ses lettres étaient disposées, raccrocha son chapeau et son manteau et se mit au travail.

C'était un spectacle de voir son visage alors qu'il lisait lettre après lettre, les plaçant chacune en ordre sous un presse-papier en marbre. On aurait pu s'imaginer regarder Law au travail, isolé et sans robes. Il n'avait pas besoin de lunettes : ses yeux étaient encore ceux d'un jeune homme.

Ayant terminé ses lettres, il sonna son sténographe et commença à dicter les réponses, envoyant de temps en temps à Brownlow pour qu'il consulte sur les détails ; puis, cette affaire terminée et de nouveau seul, il s'assit un moment, se reposant, s'appuyant en arrière sur sa chaise et se coupant les ongles avec le petit canif qui était posé sur la table. C'était son habitude, à midi précis, de prendre un verre de vieux xérès brun. C'était une habitude de la maison ; Andrew Pettigrew avait fait de même à son époque et avait transmis cette habitude à son fils. Si un client privilégié était présent, il lui serait demandé de prendre un verre, et la bouteille et les deux verres étaient conservés dans le coffre-fort John Tann dans le coin de la pièce. Dieux! Imaginez dans votre cabinet d'avocat moderne une bouteille de vin dans le coffre-fort principal et l'avocat demandant à un client de "prendre un verre" ! Pourtant, le sherry au sceau vert, célèbre parmi les *connaisseurs* , le coffre-fort et l'atmosphère de la pièce et la figure d'un autre jour de Simon, tout était en harmonie, faisant partie d'un tout unique et géorgien, comme les éléments constitutifs d'un Toby. cruche.

La vieille pendule argentée sur la cheminée, ayant mis son doigt sur midi, zézayait, et Simon, sortant de sa rêverie, se leva, tira de sa poche un trousseau de clés et ouvrit le coffre-fort.

Puis il resta debout à regarder ce qu'il y avait à voir à l'intérieur.

Le coffre-fort contenait deux coffres-forts, l'un au-dessus de l'autre, sur le sol en fer résistant au feu et à l'effraction, et près des coffres-forts se trouvaient la bouteille de xérès et les verres à vin satellites en verre taillé, tandis que sur le la boîte à actes la plus haute reposait un portefeuille en cuir noir.

Les yeux de Simon étaient fixés sur le portefeuille, la chose semblait le tenir en haleine ; on aurait pu l'imaginer regardant dans les yeux diaboliques en diamant d'un serpent enroulé. Le portefeuille n'était pas là lorsqu'il ferma le coffre-fort pour la dernière fois ; il n'y avait rien dans le coffre-fort que les cartons, la bouteille et les verres, et du coffre-fort il n'y avait que deux clés, une à la banque, une dans sa poche. Le directeur de la Cumber's Bank, un magnat chauve à favoris, même s'il avait eu accès au coffre-fort, ne pouvait pas être l'auteur de cette petite astuce, tout simplement parce que la clé de la banque était hors de sa portée. , étant enfermé en toute sécurité dans le coffre d'acte privé de Pettigrew, et la clé du coffre d'acte privé de Pettigrew se trouvait sur le même paquet que celui qui pendait maintenant à la porte du coffre-fort.

La serrure était impossible à crocheter.

Pourtant, l'expression sur le visage de Simon était moins celle de la surprise face à la chose trouvée que celle de la terreur face à la chose vue. La tête de Brownlow sur un chargeur n'aurait pas pu l'affecter beaucoup plus.

Puis, tendant la main, il prit le portefeuille, l'apporta à la table et l'ouvrit.

Il contenait des billets de banque, de beaux billets neufs et impeccables de la Banque d'Angleterre ; mais la joie de l'homme ordinaire en découvrant une grosse liasse inattendue de billets de banque n'était pas apparente sur le visage de Simon, à moins que des gouttes de transpiration ne soient des indications de joie. Il se tourna vers la bouteille de xérès, remplit deux verres d'une main tremblante et les vida ; puis il se tourna de nouveau vers les notes.

Il s'assit et, écartant le portefeuille, commença à les compter. Ils se mirent à les compter fébrilement, comme si le résultat du décompte était d'une grande importance. Il y avait quatre billets de mille, le reste était des centaines et quelques dizaines. Dix mille livres, c'était le total.

Il remit les billets dans l'étui, le boucla, bondit comme un ressort libéré, jeta le portefeuille sur le coffre et ferma le coffre-fort d'un coup sec.

Puis il se leva, les mains dans les poches, pour examiner le motif du tapis turc.

À ce moment, on frappa à la porte et un jeune employé apparut.

"Que diable veux-tu?" demanda Simon.

Le greffier a exposé son cas. Un M. Smith avait appelé, désireux d'avoir un entretien.

"Demandez à M. Brownlow de le voir", répondit Simon; "mais demandez à M. Brownlow d'intervenir ici en premier."

Au bout d'un moment, Brownlow apparut.

"Brownlow", dit Simon, "recherchez le numéro de téléphone du Dr Oppenshaw et demandez-lui s'il peut me donner un entretien dix minutes avant le déjeuner. Dites que c'est le plus urgent. 110A , Harley Street, est son adresse - et, voyez ici, faites appeler un taxi, c'est tout.

Pendant que Brownlow était en mission, Simon enfila son pardessus, enfila son chapeau, se moucha vigoureusement dans le bandana rouge qui faisait partie de sa personnalité, ouvrit le coffre-fort et jeta un nouveau coup d'œil au portefeuille, comme pour s'assurer. que la main de fée qui l'avait placé là ne l'avait pas encore emporté et qu'elle était en train de verrouiller le coffre-fort lorsque l'employé principal entra pour dire que le Dr Oppenshaw serait visible à une heure moins le quart, et que Morgan, le garçon de bureau, avait acheté le taxi.

Brownlow, bien qu'il réussisse à cacher ses sentiments, fut troublé par l'attitude de son chef et par le message téléphonique adressé au médecin ; par toute cette affaire, en fait, car Simon ne quittait jamais le bureau avant une heure, lorsque le coupé l'appelait pour l'emmener chez Simpson dans le Strand pour un déjeuner.

Simon était-il malade ? Il osa poser la question et faillit se faire couper la tête.

Je vais! Non, bien sûr, il n'était pas malade, jamais mieux dans sa vie ; Qu'est-ce qui a mis cette idée dans la tête de Brownlow ?

Puis l'irritable partit à la recherche du taxi, et Brownlow retourna à sa chambre et à ses fonctions.

CHAPITRE III
DR. OPPENHAW

De même que les terriers de lapins de la plaine de l'Arizona abritent une population mixte, un lapin, un hibou et un serpent occupant souvent le même trou, de même les maisons de Harley Street sont, en règle générale, divisées entre dentistes, oculistes, chirurgiens. , et des médecins, afin que sous le même toit vous puissiez, si vous le souhaitez, vous faire extraire les dents, percuter vos poumons, redresser vos yeux et soigner votre maladie chirurgicale, chacun à un étage différent. Le numéro 110A , Harley Street, ne contenait cependant qu'un seul occupant : le Dr. Otto Oppenshaw . Le Dr Oppenshaw n'avait pas besoin d'une personne partageant ses charges de loyer ; Neurologue dans la ville la plus nerveuse d'Europe, il gagnait environ vingt-cinq mille dollars par an.

Les gens ont été refoulés de sa porte comme d'un théâtre où se joue une pièce à succès. L'envie principale des névrosés à la mode, une envie au-delà, bien que souvent inspirée par l'envie des alcaloïdes de l'opium et de la cocaïne, était de voir Oppenshaw . Pourtant il n'avait pas grand-chose à voir : un petit homme chauve comme un navet, avec des manières de boucher et des lunettes cerclées d'or.

Les ducs animés par le désir de voir Oppenshaw devaient souvent attendre leur tour derrière les commerçants, mais il était aux ordres de Simon Pettigrew. Simon était son avocat. Il était midi et demi, ou peut-être un peu plus, lorsque le taxi s'arrêta au 110A et que l'avocat, après une vive discussion juridique pour quelques centimes avec le chauffeur, monta les marches et sonna.

La porte fut immédiatement ouverte par un homme au visage pâle et vêtu de noir, qui conduisit le visiteur à la salle d'attente, où un seul patient était assis en train de lire un volume de *Punch de l'année dernière* et ne semblait pas se rendre compte des plaisanteries.

Cette personne fut immédiatement appelée, puis vint le tour de Simon.

Oppenshaw se leva de son bureau et s'avança à sa rencontre.

"Je suis désolé de vous déranger", dit Simon après qu'ils eurent échangé leurs salutations. "C'est une question difficile sur laquelle je suis venu vous consulter, et une question importante, sinon je n'aurais pas économisé votre temps de cette façon."

"Déclarez votre cas", dit jovialement l'autre en reprenant sa place et en désignant une chaise.

"C'est là le diable", répondit Simon; "c'est une affaire qui échappe à la juridiction du bon sens et de la connaissance commune. Regardez-moi. Ai-je l'air d'être un rêveur ou une créature de fantaisie ?"

"Ce n'est certainement pas le cas", a déclaré franchement Oppenshaw .

"Pourtant, ce que j'ai à vous dire me dégoûte – vous dégoûtera."

"Je suis habitué à ça, je suis habitué à ça", dit l'autre. "Rien de ce que vous pourrez dire ne m'alarmera, ne me dégoûtera ou ne me laissera incrédule."

"Eh bien, le voici", dit le patient en se plongeant dans l'affaire comme un homme dans l'eau froide. « Il y a un an — un an et quatre semaines, car c'était le 3 mai — je suis descendu un matin à mon bureau et j'ai traité mes affaires comme d'habitude. À midi, j'ai... euh... eu l'occasion d'ouvrir mon coffre-fort. , un coffre-fort dont je possède seul la clé. Au sommet d'une boîte d'actes dans ce coffre-fort, j'ai trouvé un paquet de papier brun attaché avec du ruban rouge. J'ai été étonné, car je n'avais mis aucun paquet dedans.

"Vous avez peut-être oublié", a déclaré Oppenshaw .

"Je n'oublie jamais", répondit Simon.

"Continuez", a déclaré Oppenshaw .

"J'ai ouvert le colis. Il contenait des billets de banque d'un montant de dix mille livres."

"HM hm."

"Dix mille livres. Je n'en croyais pas mes yeux. J'ai envoyé chercher mon commis en chef, Brownlow. Il n'en croyait pas ses yeux, et je crains qu'il n'ait même douté de la vérité sur toute l'affaire. Maintenant, écoutez. J'ai décidé d'aller à mon bureau. banque, Cumber's, et me renseigner sur mon solde, envahi par l'idée apparemment absurde que j'avais moi-même tiré ce montant et oublié le fait. Je peux dire tout de suite que c'était la vérité, je l'avais *tiré* , à mon insu. , c'était le 3 mai, et quand et où pensez-vous que je me suis retrouvé ensuite ? »

"Continuez", a déclaré Oppenshaw .

"A Paris, le 3 juin."

"Ah ah."

"Tout entre ces dates était vide."

"Votre cas n'est pas absolument courant", a déclaré Oppenshaw . "Rare, mais non sans précédent, lisez les journaux. Eh bien, hier encore, une femme a été trouvée sur un siège à Brighton. Elle avait quitté Londres il y a une semaine; l'intervalle était pour elle un vide complet, et pourtant elle avait voyagé et vécu comme une mortelle ordinaire en possession de ses sens ordinaires. »

"Attends un peu", dit Simon. "Je n'ai pas été trouvé sur un siège à Paris. Je me suis retrouvé dans un salon magnifiquement meublé de l'hôtel Bristol, et j'étais vêtu de vêtements qui auraient pu convenir à un jeune homme - un imbécile de vingt ans, et très vite je J'ai découvert que j'avais agi, agi comme un imbécile. Sur les dix mille, il n'en restait que cinq mille.

"Cinq mille en un mois", a déclaré Oppenshaw . "Eh bien, vous avez payé le prix de votre jeunesse passagère. Dites-moi, " dit- il, "et soyez tout à fait franc. Comment étiez-vous quand vous étiez jeune ? Je veux dire d'esprit et de conduite ?"

Simon bougeait avec lassitude.

"J'ai été idiot pendant un moment", dit-il. "Puis je me suis soudainement contrôlé et je suis devenu raisonnable."

Oppenshaw frappa deux fois avec ses doigts sur son bureau comme s'il triomphait de sa propre perception.

"Cela clarifie les choses", dit-il. "Vous souffriez sans aucun doute de la maladie de Lethmann ."

"Bon dieu!" dit Simon. "Qu'est ce que c'est?"

"C'est une forme d'aberration, très intéressante. Vous avez entendu parler de personnalités doubles, sur lesquelles on a écrit beaucoup d'absurdités ? Eh bien, la maladie de Lethmann , c'est justement ceci : un homme, disons, de vingt ans, subitement contrôlé au cours de sa vie. sa jeunesse, devient pratiquement une autre personne. Vous, par exemple, êtes devenu, ou avez cru devenir, une autre personne ; vous vous êtes soudainement « contrôlé et êtes devenu raisonnable », comme vous le dites, mais vous n'avez pas détruit ce vieux moi insensé. Rien n'est destructible dans l'esprit tant que le tissu cérébral est normal ; vous l'avez mis en prison, et après de nombreuses années, peut-être à cause d'une légère baisse des capacités cérébrales, il a éclaté, vous a dominé et a vécu à nouveau. La jeunesse doit être servie.

"Il aurait peut-être mieux valu pour vous laisser votre jeunesse suivre son cours et se dépenser normalement. Vous avez payé le prix de votre propre volonté. Cela m'intéresse beaucoup. Dites-moi aussi fidèlement que possible ce que " Vous avez fait à Paris, ou du moins ce que vous avez compris. Quand vous êtes arrivé, vous êtes-vous souvenu de vos actions pendant le mois de l'aberration ? "

"Quand j'ai repris conscience," dit Simon, parlant presque les dents serrées, "j'étais comme une personne abasourdie. Puis je me suis rappelé, petit à petit, ce que j'avais fait, mais c'était comme me rappeler vaguement ce qu'un autre homme avait fait." faire."

"Bien", a déclaré Oppenshaw , "cela correspond à votre cas. Continuez."

"J'avais fait des choses stupides. J'avais vécu, pour ainsi dire, à la surface de la vie, sans penser à autre chose que le plaisir, sans le moindre souvenir de moi-même tel que je suis. J'avais fait des choses que j'aurais pu faire." fait à vingt ans... des folies extravagantes ; pourtant je ne crois pas à des actes vraiment vicieux. J'avais bu trop de champagne, par exemple, et il y avait plusieurs dames... Bon Dieu ! Oppenshaw , je rougirais de l'avouer à n'importe qui d'autre, mais j'avais continué comme un enfant, cueillant des fleurs à Fontainebleau, écrivant des vers à une de ces coquines. Je m'en souvenais. Moi ! — des vers sur le ciel bleu, les ruisseaux et tout ! Moi ! C'est horrible !

"Tu écrivais des vers quand tu étais jeune ?"

"Oui," dit Simon, "je crois que j'avais l'habitude de me ridiculiser."

"Tu étais plein de joie de vivre ?"

"Je suppose."

" Vous voyez, tout concorde. Oui, sans aucun doute, c'est un cas complet et complet de maladie de Lethmann . Maintenant, dites-moi, quand vous êtes revenu à vous, vous vous souveniez de tous vos actes à Paris ; jusqu'où remontait ce souvenir. ?"

"Je me souvenais vaguement de l'époque où je quittais le bureau du Old Serjeants' Inn avec la liasse de billets de banque pour aller à la banque. Puis, tout d'un coup, il semblerait que j'aie tout oublié de mon passé et que je suis devenu, comme vous insistez, moi-même à vingt ans. Je suis allé à l'hôtel Charing Cross, où j'avais déjà, semble-t-il, loué des chambres pour moi-même et où j'avais fait envoyer de nouveaux vêtements, puis je suis allé à Paris.

"C'est le plus important", a déclaré Oppenshaw . "Vous aviez déjà loué des chambres pour vous-même et commandé des vêtements. Ces actes ont dû être commis avant que le grand changement ne s'abatte sur vous, et bien sûr à votre insu."

"Ils le doivent. Et aussi le fait de retirer les dix mille dollars de la banque."

"L'autre moi caché doit avoir travaillé comme une taupe dans le noir pendant au moins quelques jours", a déclaré Oppenshaw , "sans que vous le sachiez."

"Tout à fait."

"Puis ayant préparé d'une manière vague un moyen de se divertir, il éclata ; c'était comme un papillon sortant d'une chrysalide, pardonnez la comparaison."

"Quelque chose comme ca."

"Jusqu'ici tout va bien. Eh bien, maintenant, quand vous êtes revenu à Paris, qu'avez-vous fait ?"

"Je suis revenu à Londres, bien sûr."

"Mais votre disparition soudaine a sûrement dû alarmer ? Pourquoi, cela aurait été dans les journaux."

"Pas du tout", dit Simon sombrement. "Mon autre moi, comme vous l'appelez, s'était préparé à cela. Il semble que la nuit précédant l'événement, j'ai dit à Mudd - vous savez Mudd, le majordome - que je pourrais être rappelé soudainement et être absent pendant un temps considérable, que je j'achèterais des vêtements, des chemises de nuit et tout, si tel était le cas, à l'endroit où j'allais, et qu'il devait prévenir le bureau si je partais et dire à Brownlow de continuer. Infernal, n'est-ce pas ?

« Infernalement ingénieux », a déclaré Oppenshaw ; "Mais si vous aviez déjà étudié le sujet de la personnalité duplex , vous ne seriez pas surpris. J'ai vu une jeune fille religieuse faire les préparatifs les plus complexes pour un voyage en tant que missionnaire en Chine, sans qu'elle le sache. Nous l'avons attrapée à la gare. , heureusement, juste à temps, mais comment avez-vous découvert que vous aviez donné ces instructions à Mudd ? »

« Pendant tout le chemin du retour de Paris, » dit Simon, « je me préparais à répondre à toutes sortes de demandes et à m'inquiéter de mon absence. Puis, quand je suis rentré chez moi, Mudd ne semblait pas y penser à part ; il a dit moi, il avait suivi mes instructions et prévenu le bureau que je ne revenais pas, et leur avait dit que je pourrais être absent pendant un certain temps. Ensuite, je lui ai retiré ce que j'avais dit à propos des vêtements et ainsi de suite.

"Dis-moi ", dit Oppenshaw demanda soudain : « Pourquoi es-tu venu me voir aujourd'hui pour me raconter tout cela ?

— Parce que, dit Simon, en ouvrant mon coffre-fort ce matin, j'ai trouvé dans un portefeuille au-dessus de la boîte de l'acte une autre liasse de billets pour exactement le même montant.

CHAPITRE IV
DR. OPPENSHAW— *suite*

Oppenshaw siffla.

« Une liasse de billets valant dix mille livres sterling, dit Simon ; "exactement le même montant."

Oppenshaw regarda attentivement ses ongles sans parler. Simon le regardait.

"Dites-moi, " dit Simon, "est-ce que cette foutue maladie, ou quoi que ce soit, est récurrente ?"

« Vous voulez dire, y a-t-il une crainte que votre ancien moi – ou plutôt votre jeune moi – se prépare à une autre épidémie ?

"Précisément."

"Que ce dessin de dix mille autres, à votre insu, n'est que le premier acte d'un drame semblable, ou dirons-nous une comédie ?"

"Oui."

"Eh bien, je ne peux pas le dire avec certitude, car la maladie, ou l'affection, si vous préférez le terme, n'a pas été assez longtemps devant les yeux de la science pour faire des déclarations tout à fait précises. Mais, pour autant que je puisse en juger, , j'en ai bien peur."

Simon déglutit.

"En dehors de la similitude de l'action et du montant d'argent tiré, nous avons la similitude dans le temps. Il est vrai que l'année dernière, c'était en mai, vous avez démarré l'entreprise."

"Le 3 mai, avec un mois de différence", dit Simon.

"C'est vrai, mais c'est moins une question de mois de plus ou de moins que de saison. Le début de mai dernier et la fin d'avril se sont déroulés anormalement bien. Je m'en souviens, car j'ai dû aller en Suisse. Ce mois de mai a été misérable. Puis pendant la la semaine dernière , nous avons eu cette explosion de temps magnifique, un temps qui me fait me sentir à nouveau jeune.

"Ce n'est pas moi", dit Simon.

"Non, mais cela a évidemment – du moins probablement – eu cet effet sur ton autre 'moi'. Ce qui pousse au retour de l'hirondelle a agi dans votre subconscient avec l'arrivée du temps printanier, tout comme l'année dernière. »

"Maudites hirondelles !" s'écria Simon en se levant et en faisant les cent pas. " Supposons que cette chose me permette d'en gagner cinq mille autres, et Dieu sait quoi d'autre ? Oppenshaw , " se tournant soudainement, " n'a rien à faire ? Comment puis-je l'arrêter ? "

" Eh bien, " dit Oppenshaw , " très franchement, je pense que le meilleur moyen est d'exercer votre propre volonté. Vous pouvez, bien sûr, rapporter les billets à la banque et leur demander de ne pas vous permettre d'en tirer. plus d'argent pendant, disons, un mois, mais ce serait désagréable.

"Impossible!"

"Tu pourrais, encore une fois, te mettre sous contrainte. Je pourrais le faire pour toi."

"Me mettre dans une maison de fous ?"

"Non, non, une maison de retraite."

"Jamais!"

"Vous pourriez, encore une fois, demander à votre majordome de vous suivre et, en fait, de vous surveiller pendant le mois prochain."

"Boue!"

"Oui."

"Je meurs plus tôt. Je ne pourrai plus jamais le regarder en face."

"Avez-vous des parents proches et dignes de confiance ?"

"Seulement un neveu, complètement sauvage et indigne de confiance ; un type que j'ai exclu de mon testament et que j'ai dû mettre fin à son allocation."

"Et tu n'es pas marié, c'est dommage. Une femme..."

« Pendez les femmes ! s'écria Simon. "A quoi bon parler de l'impraticable ?"

"Eh bien, nous y sommes", a poursuivi Oppenshaw , parfaitement imperturbable. "J'ai tout suggéré ; il ne reste que la volonté. Le plus grand ami d'un homme est sa volonté. Déterminez dans votre propre esprit que ce changement n'aura *pas* lieu. Je crois que ce sera votre plan le plus sûr. Les autres que j'ai suggérés sont tout cela est impossible à votre sens de *l'amour-propre* , et, en plus de cela, il y a la grave objection qu'ils sentent la force. Cela pourrait avoir de mauvaises conséquences d'utiliser la force sur ce qui serait pratiquement l'esprit subconscient. Votre volonté est tout à fait différente. La volonté peut ne déséquilibrez jamais l'esprit. En fait, comme l'a dit un célèbre neurologue anglais, «la plupart des cas de troubles mentaux sont dus à un ego gonflé, à une volonté dégonflée.»

"Oh, ma volonté va bien", dit Simon.

"Eh bien, alors, utilisez-le et ne vous embêtez pas. Dites-vous définitivement : 'Cela n'arrivera pas.'"

« Et cet argent dans le coffre-fort ?

"Laissez-le là ; défiez votre autre moi de le prendre. Le retirer et le placer dans un autre lieu serait une faiblesse."

"Merci", dit Simon. "Je comprends ce que tu veux dire." Il sortit son sac à main et déposa cinq guinées sur le bureau. Oppenshaw ne semblait pas voir l'argent. Il accompagna son patient jusqu'à la porte. Il était une heure et demie.

CHAPITRE V
JE NE SERAI PAS LUI

Dans Harley Street, Simon marchait précipitamment et sans but. L'heure du déjeuner était déjà dépassée ; il avait oublié le fait.

Oppenshaw faisait partie de ces hommes convaincus. Vous aurez remarqué dans la vie que beaucoup de gens ne convainquent pas ; ils sont peut-être bons, ils peuvent être sérieux, mais ils ne convainquent pas. En vendant un chien adulte sur le marché mondial, ils ont peu de chance face à un concurrent convaincant qui vend un chiot.

Les vingt-cinq mille dollars annuels d'Oppenshaw provenaient en grande partie de cette qualité. Il avait convaincu Simon du fait qu'à l'intérieur de Simon se trouvait la Jeunesse qui était autrefois Simon – la Jeunesse qui, bien qu'invisible et inconnue du monde, pouvait encore dominer son contenant, même au point de se mêler de son solde bancaire.

Pour Simon, c'était en ce moment le fait principal de la situation. C'était déjà assez grave pour que cette vieille jeunesse impérieuse puisse le faire agir de façon stupide, mais ce n'était rien comparé au fait qu'elle ait pu manipuler son argent.

L'argent de Simon était la base solide sous ses pieds, et il reconnaissait maintenant que c'était tout pour lui – tout. Il aurait pu sacrifier tout le reste à la rigueur ; il aurait pu sacrifier Mudd, ses meubles, ses vieilles gravures, sa cave, mais son argent était bien plus que le sol sous ses pieds : c'était lui-même.

Supposons que cette maladie réapparaisse souvent et à des intervalles plus courts, ou devienne chronique ?

Il calculait furieusement qu'à raison de cinq mille dollars par mois, sa fortune durerait environ un an et demi. Il a vu ses titres se vendre, sa propriété dans le Hertfordshire, ses meubles, ses tableaux.

Il avait un remède, il est vrai : se mettre sous contrainte. Une belle sorte de remède !

Dans Weymouth Street, la maison des maisons de retraite et des médecins, où il avait erré, la tension de son esprit devint si aiguë qu'il eut envie de retourner en toute hâte à Oppenshaw dans le vague espoir que quelque chose d'autre pourrait être fait – une opération, par exemple. exemple. Il connaissait peu la médecine et encore moins la chirurgie, mais il avait entendu parler de personnes opérées pour des lésions cérébrales, et il se souvenait maintenant d'avoir lu l'histoire d'un vieil amiral qui avait perdu connaissance à la suite d'une blessure survenue à la bataille du Nil : et était resté inconscient jusqu'à ce qu'une opération le guérisse quelques mois plus tard.

Il fut empêché de déranger Oppenshaw à nouveau grâce au sentiment instinctif que cela ne servirait à rien. On ne peut pas extraire les folies de la jeunesse par une opération. Il continua à se diriger vers Oxford Street, mais toujours sans objection.

Ce qui a aggravé sa situation, c'était son instinct d'avocat. Pendant quarante ans, il s'était, entre autres travaux, occupé à lier la Jeunesse pour qu'elle ne puisse pas accéder à la Propriété, la sortant des pièges dans lesquels elle était tombée en portant la Propriété dans ses bras. Les mots mêmes « jeunesse » et « propriété », innocents en eux-mêmes, étaient odieux à Simon lorsqu'ils étaient combinés. Il avait toujours soutenu qu'aucun jeune homme ne devait hériter avant l'âge de vingt-cinq ans, et, Dieu sait, cette opinion avait une base solide dans l'expérience. En droit, il avait toujours regardé de travers la jeunesse et ses agissements. Dans la pratique, il s'était montré assez tolérant, même si, en effet, la jeunesse n'a rien à voir avec un avocat âgé, travailleur et éminent, mais en droit, et il était surtout avocat, il avait peu de tolérance, aucun respect.

Et voici la jeunesse avec *ses* biens dans les bras, ou, ce qui était peut-être encore pire, la crainte imminente de cette alliance contre nature.

Dans Oxford Street, il s'arrêtait devant une vitrine et inspectait les chemisiers des dames : tel était son état d'esprit ; les vitrines des bijoutiers le retenaient, non par l'excellence de leurs produits, mais par la nécessité de tourner le dos à la foule et de penser, de penser, de penser.

Son esprit était en ébullition, et il ne pouvait pas plus contrôler ses pensées qu'il n'aurait pu contrôler la circulation ; les marchandises des marchands exposées à la vue semblaient faire la réflexion. Gold Alberts a seulement retenu l'attention pour expliquer que ses terres du Hertfordshire, jetées sur le marché dans l'état actuel de l'agriculture, ne rapporteraient pas la dîme de leur valeur, mais que son xérès vert et tous les trésors de sa cave rapporteraient la moitié de la valeur. West End à leur vente : la cave du vieux Pettigrew.

D'autres objets dans d'autres magasins lui parlaient de la même manière, puis il se retrouva à Oxford Circus avec la soudaine conscience qu'il *ne* s'agissait pas de combattre la maladie de Lethmann par l'exercice de la volonté. Sa volonté était en effet restée en suspens, son imagination étant maîtresse de lui.

Mais un refuge au milieu d'Oxford Circus n'était pas exactement le lieu idéal pour rééquiper la volonté ; cet effort a failli lui coûter la vie à cause d'un camion à moteur alors qu'il traversait. Puis, lorsqu'il fut parvenu de l'autre côté et qu'il put reprendre son travail sans danger, il se rendit compte qu'il n'avait apparemment aucune volonté de se rééquiper.

Il se surprit à répéter encore et encore les mots : « Je ne serai pas lui, je ne serai pas lui. Cela lui parut correct pendant un moment, et il se serait assuré que sa volonté fonctionnait à merveille si un doute froid et soudain n'avait surgi dans son cœur quant à savoir si la formule appropriée ne devrait pas être : « Il ne sera pas moi."

Ah ! c'était le cœur de l'affaire. Il était assez facile de déterminer : « Je ne serai pas lui », mais lorsqu'il s'agissait de déclarer : « Il ne sera pas moi », Simon découvrit qu'il n'avait aucune volonté en la matière. Il était assez facile de déterminer qu'il ne ferait pas de bêtises, impossible de déterminer qu'un autre ne devrait pas les faire.

Puis, comme un éclair, il lui vint à l'esprit que l'autre n'était pas tant une personnalité qu'une combinaison d'actions insensées, de vieux désirs et de motivations étrangères lâchées sur un monde sans gouvernance.

Il s'est transformé machinalement en Verreys ' et a eu une côtelette. Chez Simpson's in the Strand , il avait toujours une côtelette ou une coupe de selle, ou une coupe de surlonge – comme les rasoirs, les menus quotidiens se succédant à tour de rôle. C'était un jour de fête, tout comme c'était un jour de « mardi », et l'habitude l'empêchait d'oublier ce fait. La côtelette et une demi-bouteille de Saint- Estéphe lui faisaient sentir un homme plus fort. Il devint soudain joyeux et vaillant.

" Au pire, se dit-il, je *peux me mettre* sous contrainte ; personne n'a besoin de le savoir. Oui, par pitié ! J'ai toujours cela. Je peux me mettre sous surveillance. Eh bien, foncez ! Je peux attacher mon argent pour que je ne puisse pas y toucher ; c'est assez facile.

Le clapot et saint Estéphe , le tirant du bourbier du découragement, le lui dirent. C'était un moyen sûr d'échapper à la perte de son argent. Il avait furieusement rejeté l'idée chez Oppenshaw , mais chez Oppenshaw, sa propriété n'avait pas eu le temps de lui parler pleinement, mais dans cet horrible voyage de Harley Street à Verreys , il avait marché bras dessus bras dessous avec sa propriété bavardant d'un côté. et la faillite stupide de l'autre.

La retenue lui aurait été presque aussi odieuse que la faillite, mais maintenant, comme moyen sûr d'échapper à l'autre, cela lui semblait presque une perspective agréable.

Il a quitté Verreys et a marché en se sentant plus brillant et mieux. Il entra dans l' Athénée . C'était l'heure de se coucher à l' Athénée , et les grands fauteuils étaient remplis de personnes somnolentes, chauves pendantes, moustaches cachées par les draps du *Times* . Ici, il a rencontré Sir Ralph

Puttick, l'hon. Médecin de Sa Majesté, raide, urbain, majestueux, semblant toujours soutenu de chaque côté par un lion et une licorne.

Sir Ralph et Simon se connaissaient et avaient de nombreux points communs, notamment l'antisocialisme.

Dans les fauteuils, ils parlaient de Lloyd George – du moins, Sir Ralph le faisait, Simon avait d'autres considérations en tête. Se penchant en avant sur sa chaise, il demanda soudain, à propos de rien :

"Avez-vous déjà entendu parler d'une maladie appelée maladie de Lethmann ?"

Désormais, Sir Ralph était Chest and Heart, rien d'autre. Il était également irrité par le fait que le mot "boutique" lui ait été soudainement imposé par un foutu avocat, car Simon était "Simon Pettigrew, tout un personnage, l'un de nos avocats anglais de première classe à l'ancienne mode", alors que Sir Ralph était dans un bon état. tempérament et il se trouva qu'il considérait Simon; agacé, Simon était un « maudit avocat ».

"Jamais", a déclaré Sir Ralph. "De quelle maladie as-tu parlé ?"

" La maladie de Lethmann . C'est une maladie nouvelle, semble-t-il. "

Encore une horrible bévue, comme si l'homme lion et licorne ne connaissait que des maladies anciennes, dépassées en fait.

"Jamais", répondit l'autre. « Cela n'existe pas. Qui vous en a parlé ?

"J'ai lu quelque chose à ce sujet", a déclaré Simon. Il a essayé de donner une image des symptômes et n'a pas réussi à convaincre, mais il a réussi à irriter. L'homme semi-royal écoutait avec une apparence spécieuse d'attention et même d'intérêt ; puis, l'autre ayant fini, il ouvrit ses batteries.

Simon quitta le Club avec le sentiment d'avoir été placé à la barre des charlatans, des charlatans et des pourvoyeurs de théories farfelues ; aussi qu'il avait été snobé.

CHAPITRE VI
TIDD ET RENSHAW

Est-ce que cela le dérangeait ? Pas du tout; il a apprécié.

Si Sir Ralph l'avait expulsé de l' Athénée pour y avoir diffusé de fausses connaissances scientifiques, il l'aurait apprécié. Il aurait apprécié n'importe quoi qui jetait l'odieux et le discrédit sur la théorie de la double personnalité sous la forme de la maladie de Lethmann .

Pour l'instant, son âme traquée, qui s'était réfugiée momentanément dans la pensée des maisons de retraite et de la contention, avait quitté ce terrier et se réfugiait dans le doute.

Tout cela était sûrement absurde. L'affaire de l'année dernière *a dû* être une aberration passagère due au surmenage, bien qu'il ait effectivement retiré inconsciemment dix mille dollars de plus à la banque ; il était manifestement insensé de penser qu'un homme puisse être sous l'emprise d'une maladie digne d'un livre d'histoires. Il avait lu le Dr Jekyll et M. Hyde – cette fiction folle ! Eh bien, si cette chose était vraie, ce serait une fiction tout aussi folle. Des océans de confort lui vinrent soudain à l'esprit. Cela lui donnait une nouvelle prise sur la situation, en soulignant que l'ensemble de cette affaire, telle que suggérée par Oppenshaw , était au niveau d'une « histoire stupide et sensationnelle », c'est-à-dire de l'impossible, donc impossible.

Il a commis une grave erreur : celle de considérer le Dr Jekyll et M. Hyde comme une « histoire stupide et sensationnelle ».

Quoi qu'il en soit, il fut réconforté par ce qu'il considérait comme un fait et, au dîner de ce soir-là, il était si rétabli qu'il put se plaindre parce que le mouton « était en lambeaux ».

Il dînait seul.

Comme il n'était pas revenu au bureau dans l'après-midi, Brownlow lui avait envoyé quelques documents relatifs à une affaire judiciaire alors en instance. Il arrivait souvent que Simon emportait des affaires avec lui ou, s'il ne pouvait pas se rendre au bureau, des papiers importants lui étaient envoyés chez lui.

Ce soir-là, selon l'usage, il se retira dans sa bibliothèque, but son café, ouvrit les documents et, confortablement assis dans un immense fauteuil de cuir, se mit au travail.

Il s'agissait d'une affaire difficile, l'affaire Tidd *contre* Renshaw, compliquée par toutes sortes de questions et de courants croisés. Dans son jargon juridique aride, il s'agissait du titre de propriété d'une maison londonienne, du crédit d'une femme, du bonheur d'une famille et de quelques autres choses, tout cela n'ayant absolument aucune importance pour Simon, engagé dans le droit de l'affaire, et pour lui. dont les êtres humains impliqués étaient simplement comme les pièces d'échecs entre les mains du joueur ; et nécessairement, car un avocat qui laissait les considérations humaines influencer son point de vue serait un avocat indigne de confiance.

A dix heures, Simon, posant brusquement les documents par terre à côté de lui, se leva, sonna et se plaça sur le tapis du foyer, les mains liées derrière lui.

Mudd est apparu.

« Mudd, » dit Simon, « je serai peut-être rappelé demain et je serai absent pendant un certain temps. Si je ne suis pas au bureau lorsque le coupé viendra me chercher pour le déjeuner, vous pouvez avertir le bureau que j'ai été rappelé. ... Vous n'avez pas besoin de vous soucier de faire mes valises ; j'achèterai tout ce que je veux là où je vais.

"Je pourrais facilement préparer un sac pour vous", a déclaré Mudd, "et vous pourriez l'emporter avec vous au bureau."

"Je ne veux pas de sac. Je vous ai donné vos instructions", dit Simon, et Mudd s'en alla en grommelant et en snobé.

Puis l'avocat s'assit et se replongea dans le droit, pliant les documents à onze heures et les rangeant soigneusement dans son bureau. Puis il éteignit la lumière électrique, examina la porte du couloir pour s'assurer qu'elle était bien verrouillée et monta se coucher en portant l'affaire Tidd *contre* Renshaw avec lui comme dernier verre.

Cela flottait autour de son intellect comme une pénombre alors qu'il se déshabillait, écartant, ou écartant en partie, les pensées sur Oppenshaw et sa propre condition qui essayaient de pénétrer dans son esprit.

Puis il se mit au lit et, poursuivant toujours Tidd *v.* Renshaw à travers les labyrinthes de la loi, et s'accrochant fermement à leurs queues, il s'endormit.

CHAPITRE VII
LE PORTEFEUILLE

Il se réveilla avec Mudd qui tirait les stores et avec une autre journée parfaite – un matin d'été, luxueux et chaleureux, magnifique même à Londres. Il avait perdu Tidd et Renshaw au pays du sommeil, mais il avait retrouvé sa force et sa confiance en lui.

La terreur de la maladie de Lethmann avait disparu ; la chose était absurde, il avait été effrayé par un épouvantail. Oppenshaw était un homme intelligent, mais c'était un spécialiste, pensant toujours aux maladies nerveuses et vivant dans une atmosphère de celles-ci. Sir Ralph Puttick, au contraire, était un homme doté d'une solide compréhension et de vues plus larges – un homme sensé.

C'est ce qu'il se dit en sortant « mercredi » de son étui et en se rasant. Puis il est descendu au même bacon frisé et au même *Times diffusé*, a enfilé le même pardessus et le même chapeau, est monté dans le même vieux coupé et s'est dirigé vers le bureau.

Il entra dans sa chambre, où ses lettres matinales habituelles lui étaient disposées. Mais il n'enleva pas son manteau et son chapeau. Il était parvenu à une décision. Oppenshaw lui avait dit de laisser le portefeuille là où il était et de ne pas rapporter les billets à la banque, car cela constituerait une faiblesse. Sir Ralph Puttick lui disait maintenant qu'Oppenshaw était un imbécile. La vraie faiblesse serait de suivre les conseils d' Oppenshaw . Suivre ce conseil serait jouer avec cette affaire et admettre qu'elle contenait une réalité ; en plus, avec ces notes dans le coffre-fort derrière lui, il ne pourrait jamais faire son travail du matin.

Non; ces billets devraient retourner à la banque. Il ouvrit le coffre-fort et découvrit le portefeuille posé comme un mauvais génie sur la boîte à actes. Il le sortit et le mit sous son bras, ferma le coffre-fort et quitta la pièce.

Dans le bureau extérieur, tous les employés étaient occupés et Brownlow était dans sa chambre, la porte fermée.

Simon, le portefeuille sous le bras, sortit et traversa l'enceinte du Old Serjeants' Inn jusqu'à Fleet Street, où une bouffée de vent chaud d'été, mais printanier, le frappa au visage.

DEUXIEME PARTIE

CHAPITRE I
L'ÉVEIL DE L'ÂME

Il releva la tête, renifla comme s'il inhalait quelque chose et accéléra le pas.

Quel jour glorieux ce fut ! même Fleet Street avait une touche de jeunesse.

Une fleuriste et ses marchandises attirèrent son attention ; il acheta un bouquet de violettes tardives et, le chapeau renversé, plongea dans la poche de son pantalon et en sortit une poignée d'argent. Il lui donna un shilling et, sans demander de monnaie, continua son chemin, les violettes à la boutonnière.

Il se dirigeait vers l'ouest comme un pigeon voyageur. Il marchait comme un homme pressé mais sans but, son regard effleurait les choses et semblait se poser uniquement sur des choses colorées ou agréables à regarder, ses yeux ne laissaient apparaître aucune spéculation. Il ressemblait à une personne sans plus de passé qu'un rêveur. Le présent lui semblait tout, comme au rêveur.

Dans le Strand, il s'arrêtait ici et là pour jeter un coup d'œil sur le contenu des boutiques ; les cravates l'attiraient. Puis Fuller's l'a attiré par sa couleur . Il prenait une glace à la vanille et à la fraise et discutait avec les filles, qui ne recevaient cependant pas ses avances avec beaucoup de faveur .

Puis il est venu à Romanos '; cela l'attira, et il entra. Des jeunes dorés buvaient au bar, et un cocktail préparé par le barman fascinait Simon par sa couleur ; il en avait un comme celui-ci, a discuté avec l'homme, a payé et est parti.

Il était maintenant onze heures.

Marchant toujours gaiement et légèrement, comme on marche dans un rêve heureux, il arriva à l'hôtel Charing Cross, demanda au portier de lui montrer les chambres qu'il avait réservées et s'enquit si ses bagages étaient arrivés.

Les bagages étaient arrivés et déposés dans la chambre de la suite : deux grands porte-manteaux neufs et un coffret à chapeau, également un coffret à musique provenant de Lincoln Bennett.

Les valises et la boîte à chapeau étaient fermées à clé, mais dans la boîte à musique se trouvaient les clés, collées dans une enveloppe ; il y avait aussi un chapeau de paille dans la boîte à musique : un canotier.

Le portier, ayant détaché les valises, partit avec un pourboire, et notre monsieur se mit à déballer rapidement et avec l'empressement d'un enfant qui se rend à une fête.

Ô Jeunesse ! Quelle étoile tu es, et pourtant quelle folie ! Et pourtant toute sagesse peut-elle donner le plaisir de sa première robe de bal, du costume tout neuf du jeune homme ? Et il y avait des costumes flambant neufs et, en réserve, du tweed à carreaux, de la serge bleue, des flanelles de bateau ; des chaussures aussi et des bottes de Burlington Arcade, des cravates et des chaussettes de Beale et Inman's.

C'était comme un trousseau.

En déballant, il siffla. Il a sifflé un air jeune dans les années soixante : « Champagne Charley », rien de moins.

Puis il s'habilla, enfonçant vigoureusement la tête dans une chemise rayée, enfilant une cravate violette, des chaussettes violettes et un costume en tweed gris d'excellente coupe.

Tous ses mouvements étaient fébriles, légers, rapides. Il ne semblait pas remarquer les détails de la pièce autour de lui ; il semblait effleurer la surface des choses avec hâte d'arriver à un but de plaisir. Rougeur et aux yeux brillants, il paraissait à peine cinquante ans maintenant, et pourtant, malgré cette réduction d'âge, sa tenue générale avait une touche de raffish. Les chaussettes et les cravates violettes sont un peu basses à cinquante ans ; un « canotier » en paille n'en atténue pas l'effet, pas plus que des chaussures beiges.

Mais Simon était très content de lui.

Toujours en sifflant, il rangea ses vieilles affaires dans un tiroir et laissa le reste traîner pour que les domestiques puissent les ranger, et s'assit sur le bord du lit avec le portefeuille à la main.

Il l'ouvrit et sortit les notes sur la couverture. Le magnifique paquet pour "éclater" ou faire ce qu'il voulait le tenait sous son emprise alors qu'il retournait le contenu, sans compter le montant, mais en examinant simplement les notes et les sommes énormes sur la plupart d'entre elles.

Cieux! Quel délice même en rêve ! Être jeune et absolument libre de toute contrainte, libre de tout lien, inconscient de ses proches, inconscient de tout sauf de son environnement immédiat, avec des appétits et des désirs virginaux et d'innombrables souverains à sa rencontre. Les talons pendants, et son chapeau de paille à côté de lui, il se réjouissait de son trésor ; puis, prenant trois billets de dix livres et mettant le reste dans le portefeuille, il enferma le portefeuille dans son porte-manteau et mit la clé sous l'armoire.

Puis, sortant de sa chambre, il descendit avec son chapeau de paille sur l'arrière de la tête et un sourire pour une jolie femme de chambre qui le croisait en remontant.

La jeune fille rit et se retourna, mais il serait difficile de dire si elle riait de lui ou avec lui. Les femmes de chambre ont des goûts étranges.

C'est dans le hall qu'il rencontra Moxon , associé principal de Plunder's, la grande société d'escompte de factures ; un homme de grande taille, au visage et aux manières sérieux.

"Eh bien, que Dieu bénisse mon âme, Pettigrew !" s'écria Moxon , "je te connaissais à peine."

"Tu as l'avantage sur moi, vieux coq," répondit Simon avec désinvolture, "car je suis... si je t'ai déjà rencontré auparavant."

"Mon erreur", a déclaré Moxon .

C'était le visage et la voix de Pettigrew, mais tout le reste n'était pas Pettigrew, et l'escompteur de billets s'enfuit précipitamment, ayant l'impression d'avoir découvert l'étrangeté – ce qui était le cas.

Simon s'arrêta au bureau, tenant une employée dans une conversation légère sur la météo et se tournant vers elle avec cet esprit vif déjà mentionné. Elle était occupée et raide, et le temps et son esprit ne semblaient pas l'intéresser. Alors il demanda la monnaie d'un billet de dix livres, et elle le lui donna en souverains ; puis il demanda le changement d'une souveraine : elle le lui donna ; puis il demanda, avec un sourire, de la monnaie d'un shilling. Elle était indignée maintenant ; ce qui aurait dû la faire rire semblait l'exaspérer. Faisant ce qu'il pouvait, il ne pouvait pas la réchauffer.

Elle avait plus froid que les marchandes de glaces. Qu'avait-il donc tous ? Elle baissa la monnaie pour le shilling et se tourna vers ses livres.

Inclinant son chapeau plus en arrière, il frappa avec un sou sur le rebord.

Elle se leva.

"Eh bien, qu'est-ce qu'il y a maintenant ?"

"Peux-tu me changer un centime, s'il te plaît ?" dit Simon.

"Mme Jones!" appela la fille.

Une grosse directrice en noir apparut.

"Je ne sais pas ce que veut dire ce monsieur."

La gérante haussa les sourcils en direction du bouffon.

"J'ai demandé à la jeune femme de me rendre un centime. Pouvez-vous me donner deux demi-pensions pour un centime, s'il vous plaît ?"

La gérante a ouvert la caisse et a rendu la monnaie. Le gay s'en alla en riant. Il avait eu le meilleur de la jeune fille, créature idiote, qui n'appréciait pas une plaisanterie, mais il s'était amusé.

Se déplaçant dans la ligne de moindre résistance vers le fantôme du plaisir, il se dirigea vers l'entrée de l'hôtel et la lumière du soleil traversant la porte, acheta un cigare au kiosque à l'extérieur, puis s'installa dans un taxi.

« Où aller, monsieur ? demanda le chauffeur.

"Premier bar", répondit Simon. "Le premier est correct, et il a l'air vif."

Le conducteur maussade – Dieu du ciel, comme le vieux fiacre des années soixante aurait hélé un tel tarif, et avec quelle joie ! – ferma la portière sans un mot et commença à démarrer le moteur. Il a eu des difficultés et, tandis qu'il continuait à remonter, l'occupant a passé la tête par la fenêtre et s'est adressé au policier du commissariat qui le regardait.

"Est-ce que ce type a une licence pour un orgue de Barbarie ?" demanda Simon. "S'il ne l'a pas fait, demandez-lui de continuer."

Il ferma la fenêtre. Ils commencèrent et s'arrêtèrent dans un bar de Leicester Square. Simon paya et entra.

C'était un long bar, un lieu scintillant, répugnant et délétère, où, derrière un long comptoir, six barmaids servaient à toutes sortes d'hommes toutes sortes de boissons.

Simon semblait trouver ça bien. Soufflant son cigare, il commanda un cognac froid – un cognac froid ! Et sirotant son cognac bien frais, il fit le point sur les hommes alentour.

Même son innocence et sa nouveauté – malgré son besoin de compagnie désormais – reconnaissaient qu'il y avait des indésirables, et quant aux filles du bar, elles étaient des images figées – pour lui.

Ils riaient et échangeaient des mots avec toutes sortes de jeunes gens, contre-sauteurs et cavaliers, mais pour lui, ils n'avaient que du cognac froid et des monosyllabes. Il commençait à s'irriter contre les femmes ; mais la lumière du soleil dehors et deux eaux-de-vie froides à l'intérieur lui rendirent sa bonne humeur , et l'idée du déjeuner se présentait maintenant devant lui, l'attirant.

En pensant ainsi, il n'avançait pas vers le déjeuner mais vers le Destin.

A Piccadilly Circus, il y avait foule autour d'un omnibus. Il y a généralement des foules autour des omnibus juste ici, mais c'était une foule spéciale, ayant pour noyau un conducteur de bus en colère et une jolie fille.

Oh, une si jolie fille ! Spring lui-même, aux cheveux et aux yeux noirs, bien habillé, mais avec juste cette touche qui témoigne du manque de richesse. Elle fascinait Simon comme une fleur fascine une abeille.

" Mais, monsieur, je vous dis que j'ai perdu ma bourse ; un voleur de poche l'a prise. Je me ferai un plaisir de vous dire où j'habite et de vous récompenser si vous venez chercher de l'argent. Je m'appelle Cerise Rossignol. " Ceci, avec juste une trace d'accent étranger.

"J'ai été tué deux fois cette semaine par ce match", a déclaré le chef d'orchestre brutal, en disant cependant la vérité. "Viens chercher dans ton gant, tu le trouveras."

Simon intervint.

"Combien?" a-t-il dit.

" Tuppence ", a déclaré le conducteur. Alors les dieux qui président à la jeunesse auraient pu observer cette nouvelle Andromède, libérée à la charge de Tuppence , s'éloigner avec son sauveur et lui tourner un visage rempli de gratitude.

Ils se dirigeaient vers Leicester Square.

CHAPITRE II
MOXON ET BOUE

Or, Moxon était venu ce matin-là de Framlingham, dans le Kent, où il passait des vacances, pour régler quelques affaires. Entre autres choses, il devait voir Simon Pettigrew pour une question concernant certaines factures.

L'apparition qu'il avait rencontrée dans le hall de l'hôtel Charing Cross le poursuivit jusqu'au bureau de Plunder, où il se rendit pour la première fois, et, lorsqu'il quitta Plunder pour déjeuner chez Prosser's, à Chancery Lane, elle le poursuivit toujours.

Même s'il savait que ce ne pouvait pas être Pettigrow, un esprit inquiet dans son subconscient insistait sur le fait que c'était Pettigrow.

À deux heures, il passa au Old Serjeants' Inn. Il aperçut Brownlow, qui revenait tout juste d'un déjeuner.

Non, M. Pettigrew n'était pas là. Il était sorti tôt ce matin-là et n'était pas revenu.

"Je dois le voir", a déclaré Moxon . "Quand penses-tu qu'il arrivera ?"

Brownlow ne pouvait pas le dire.

"Est-ce qu'il serait chez lui, tu crois ?"

"À peine", a déclaré Brownlow; "Il est peut-être rentré chez lui, mais je pense que c'est improbable."

"Je dois le voir", répéta Moxon . "C'est extraordinaire. Eh bien, je lui ai écrit pour lui dire que je venais cet après-midi et il connaît l'importance de mes affaires."

"M. Pettigrew n'a pas encore ouvert ses lettres du matin", a déclaré Brownlow.

"Bon dieu!" dit Moxon .

Puis, après une pause :

"Voulez-vous téléphoner chez lui pour voir ?"

« M. Pettigrew n'a pas de téléphone », a déclaré Brownlow ; "il ne les aime pas, sauf en affaires."

Moxon se souvenait de cela et d'autres traits démodés de Pettigrew ; ce souvenir n'apaisa pas son irritation.

"Alors j'irai moi-même chez lui", dit-il.

Lorsqu'il arriva à King Charles Street, Mudd ouvrit la porte.

Mudd et Moxon se connaissaient mutuellement, Moxon y ayant souvent dîné.

« Votre maître est là, Mudd ? » demanda Moxon .

"Non, monsieur", répondit Mudd; "Il n'est pas à la maison, et il ne le sera peut-être pas avant un certain temps."

"Que veux-tu dire?"

"Il m'a laissé pour instruction que s'il n'était pas au bureau lorsque le coupé appelait pour l'emmener déjeuner , je devais dire au bureau qu'il avait été rappelé; le cocher vient de revenir pour dire qu'il n'était pas là, alors j'ai je le renvoie au bureau pour leur dire."

"Rappelé ! Pour combien de temps ?"

"Eh bien, cela pourrait prendre un mois", a déclaré Mudd, se souvenant.

"Extraordinaire!" dit Moxon . "Eh bien, je ne peux pas m'en empêcher, et je ne peux pas attendre ; je dois emmener mes affaires ailleurs. Je pensais avoir vu M. Pettigrew à l'hôtel Charing Cross, mais il était habillé différemment et avait l'air étrange. Eh bien, c'est ça. c'est une grande nuisance, mais on n'y peut rien, je suppose... Un mois...."

Il est parti en colère.

Mudd le regarda partir, puis il ferma la porte du couloir. Puis il s'assit sur l'une des chaises du hall.

"Habillé différemment et semblait étrange." Il voulait seulement que ces mots déclenchent l'alarme dans l'esprit de Mudd.

L'affaire d'il y a un an l'avait toujours rendu perplexe, et maintenant ça !

"Cela semblait étrange."

Serait-ce possible ?... Hm... Il se leva et descendit.

"Pourquoi, qu'avez-vous, M. Mudd ?" demanda la cuisinière-ménagère. "Eh bien, vous êtes tout secoué."

"C'est mon estomac", a déclaré Mudd.

Il prit un verre de vin de gingembre, puis alla chercher son chapeau.

"Je sors prendre l'air", a déclaré Mudd. « Je ne serai peut-être pas de retour avant un certain temps ; ne vous souciez pas de moi si je ne le suis pas, et assurez-vous de verrouiller l'assiette.

"Que Dieu bénisse mon âme, qu'est-ce qu'il y a avec cet homme ?" murmura la gouvernante étonnée tandis que Mudd disparaissait. " Tant mieux s'il ne devient pas aussi bizarre que son maître ! "

Dans la rue, Mudd s'arrêta pour se moucher avec un bandana comme celui de Simon. Puis, comme si cet acte avait déclenché son mécanisme, il partit, héla un omnibus dans la rue voisine et descendit à Charing Cross.

Il entra dans l'hôtel Charing Cross.

« Est-ce qu'il y a un M. Pettigrew ici ? » demanda Mudd au portier du hall.

Le porteur de la grêle sourit.

"Oui, il y a un certain M. Pettigrew qui reste ici, mais il est absent."

"Eh bien, je suis son serviteur", a déclaré Mudd.

"Rester ici avec lui ?" demanda le portier.

"Oui. Je l'ai suivi. Quel est le numéro de sa chambre ?"

"Le bureau le saura", répondit l'autre.

"Eh bien, va simplement au bureau et récupère sa clé", dit Mudd, "et envoie un messager au n° 12, King Charles Street - c'est notre adresse - pour dire à Mme Jukes, la gouvernante, que je ne serai pas là." Je pourrai peut-être revenir ce soir. Voici un shilling pour lui, mais montre-moi d'abord sa chambre.

Mudd était convaincu.

Le portier du hall s'est rendu au bureau.

« Clé de la chambre de M. Pettigrew », dit-il ; "son serviteur vient d'arriver."

La demoiselle supérieure s'est détachée de la comptabilité, a recherché le numéro et a donné la clé.

Mudd le prit et monta dans l'ascenseur. Il ouvrit la porte de la chambre et entra. L'endroit n'était pas rangé, il y avait des vêtements partout.

Mudd, tel un chat dans une maison étrange, regardait autour de lui. Puis il a fermé la porte.

Puis il prit un manteau et regarda le nom du fabricant sur l'étiquette.

« Holland et Woolson » : les tailleurs de Simon !

Puis il examina tous les vêtements. De tels vêtements ! Flanelles de bateau, costumes en sergé ! Puis les chaussures, les bottes vernies. Il ouvrit la commode et trouva le paquet de vêtements abandonnés : le vieux manteau dont le coude gauche « allait », et le reste. Il les souleva, les examina, les plia et les remit en place.

Puis il s'assit pour se remettre, se moucha, se demanda si lui ou Simon était fou, puis, se levant, se mit à plier et à ranger les nouveautés de l'armoire et de la commode.

Il remarqua qu'un des portemanteaux était verrouillé. Pourtant, il y avait quelque chose à l'intérieur qui glissait de haut en bas à mesure qu'il l'inclinait et l'abaissait.

Après avoir parcouru de nouveau la pièce, il descendit, rendit la clé, fit des arrangements pour sa chambre et partit.

Il se dirigea vers la rue Sackville. Il connaissait Meyer, le contremaître de Holland and Woolson . Il lui arrivait de l'appeler au sujet des vêtements de Simon pour lui donner des instructions pour ceci ou cela.

"Ce costume en serge bleue que vous venez d'envoyer chercher M. Pettigrew ne vous va pas tout à fait, M. Meyer", a déclaré le rusé Mudd. "J'avais fait confectionner le manteau dans un colis pour vous le rapporter pour que les manches soient raccourcies d'un demi-pouce, mais je l'ai oublié ; je me suis seulement souvenu que je l'avais oublié à votre porte."

"Nous l'enverrons chercher", a déclaré Meyer.

"Bien", a déclaré Mudd. Puis : " Non, en y réfléchissant bien, j'irai le chercher moi-même quand j'aurai un moment à perdre, car nous partons de chez nous pour quelques jours. M. Pettigrew a eu beaucoup de vêtements ces derniers temps, M. Meyer. " ".

"Il l'a fait", a déclaré Meyer avec un scintillement dans les yeux; "des costumes et des costumes, presque comme s'il allait se marier."

"Marié!" s'écria l'autre. " Qu'est-ce qui vous a mis cela en tête, M. Meyer ? Ce n'est pas un homme qui se marie. Eh bien, je ne l'ai jamais vu autant jeter un œil à une femme. "

"Oh, ce n'était que ma blague", a déclaré Meyer.

Or, dans l'âme de Mudd régnait depuis des années un malaise, une feuille de rose froissée qui le touchait parfois lorsqu'il se tournait la nuit dans son lit. C'était la crainte qu'un jour Simon ne ruine la vie de Mudd avec une maîtresse. Il ne supportait pas une maîtresse. Il s'en était toujours juré ; l'expérience de ses collègues majordomes dont la vie était rendue répugnante par leurs maîtresses aurait suffi sans sa propre antipathie profondément enracinée envers les femmes, sauf en tant qu'objets spectaculaires. Mme Jukes était une de ses relations, et il pouvait la supporter ; les servantes étaient des automates indignes de son attention – mais une maîtresse !

Une folle alarme envahit son esprit, car son cœur lui disait que les paroles de Meyer avaient un fondement probable.

Cette liaison de l'année dernière, lorsque Simon était parti et revenu dans de nouveaux vêtements étranges, aurait pu être la cour, est-ce la vraie chose ?

Il quitta le tailleur, appela un taxi et se rendit au bureau.

Brownlow était là.

« Qu'est-ce qu'il y a, Mudd ? » demanda Brownlow, alors que ce dernier était introduit dans sa chambre.

« Avez-vous reçu mon message, M. Brownlow ? » demanda Mudd.

"Oui."

"Oh, tout va bien", a déclaré Mudd. "Je pensais juste appeler et demander. Le maître m'a dit d'envoyer le message ; il s'en va un moment. Il veut du changement aussi. Je pense qu'il a été surmené ces derniers temps, M. Brownlow."

"Il travaille toujours trop", a déclaré Brownlow. "Je pense qu'il souffre d'une maladie cérébrale, Mudd ; il est très réticent à son égard, mais je suis content qu'il ait vu un médecin."

"J'ai vu un médecin ! Eh bien, il ne me l'a jamais dit."

"N'est-ce pas ? Eh bien, il l'a fait, Dr Oppenshaw , de Harley Street. C'est entre vous et moi. Essayez de le faire se reposer davantage, Mudd."

"Je le ferai", a déclaré Mudd. "Il veut du repos. Cela fait longtemps que je m'inquiète pour lui. Quel est le numéro du médecin à Harley Street, M. Brownlow ?"

" 110A ", dit Brownlow, puisant le numéro dans sa merveilleuse mémoire ; "Mais ne laissez pas M. Pettigrew savoir que je vous l'ai dit. Il est très susceptible avec lui-même."

"Je ne le ferai pas."

Il est parti.

"Vieux serviteur fidèle", pensa Brownlow.

Le vieux serviteur fidèle monta dans un taxi. « 110A , Harley Street, » dit-il au chauffeur ; "et conduis vite et je te donnerai une pence supplémentaire ."

Oppenshaw était là.

Lorsqu'il fut informé que le domestique de Pettigrew était venu le voir, il retourna une duchesse avec laquelle il était fiancé, lui donna une ordonnance inoffensive, la salua et sonna.

Mudd a été introduit.

"Je suis venu demander———" dit Mudd.

"Asseyez-vous", dit Oppenshaw .

"Je suis venu pour parler———"

"Je sais, à propos de votre maître. Comment va-t-il ?"

"Eh bien, je suis venu vous demander, monsieur ; il est actuellement à l'hôtel Charing Cross."

"Est-il allé là-bas pour vivre ?"

"Eh bien, il est là."

"Je l'ai vu il y a quelque temps au sujet de son état de santé et, franchement, M. Mudd, c'est sérieux."

Mudd hocha la tête.

"Dis-moi ", dit Oppenshaw , "a-t-il acheté de nouveaux vêtements ?"

"Des tas, sans fin", a déclaré Mudd. "Et de tels vêtements, des choses qu'il n'a jamais portées auparavant."

"Et alors ? Eh bien, c'est une chance que vous l'ayez trouvé. Comment se déroule sa conversation ? Lui avez-vous beaucoup parlé ?"

"Je ne l'ai pas encore vu", a expliqué Mudd.

"Eh bien, restez près de lui et soyez très prudent. Il souffre d'une forme de trouble mental. Il faut le contrarier le moins possible, user de persuasion, de persuasion douce. La chose suivra son cours. Cela ne doit pas être soudainement vérifié.

"Est-il fou ?" demanda l'autre.

" Non, mais il n'est pas lui-même, ou plutôt il est lui-même d'une manière différente ; mais un échec soudain pourrait le rendre fou. Vous avez entendu parler de gens marchant dans leur sommeil, eh bien, c'est à peu près cela. Vous Je sais qu'il est très dangereux de réveiller soudainement un somnambule. Eh bien, c'est exactement la même chose avec M. Pettigrew ; cela pourrait déséquilibrer son esprit pour de bon.

"Que dois-je faire?"

"Surveille-le simplement."

"Mais supposons qu'il ne me connaisse pas ?"

"Il ne vous connaîtra pas, mais si vous êtes gentil avec lui , il vous acceptera dans son environnement et vous établirez alors un lien avec son état mental."

"Il est dehors maintenant, et Dieu sait où, ou fait quoi", a déclaré Mudd ; "mais je serai à l'affût de son arrivée, si jamais il vient."

"Oh, il reviendra à la maison."

"Est-ce qu'il y a une crainte que ces femmes s'emparent de lui ?" » demanda Mudd, revenant à son ancienne peur.

" C'est exactement ce qu'il y a : chaque peur ; mais il faut faire très attention à ne pas s'immiscer violemment dans sa volonté. Placez-vous doucement entre, doucement entre les deux. Vous me comprenez. La suggestion fait beaucoup dans ces cas-là. Autre chose, vous devez le traiter comme on soigne un garçon. Il faut s'imaginer que votre maître n'a que vingt ans, car tel est en vérité ce qu'il est. Il est revenu à un état plus jeune, ou plutôt un état plus jeune est venu à sa rencontre, ayant est restée en sommeil, tout comme une dent de sagesse est en sommeil, puis grandit. »

"Oh Seigneur!" dit Mudd. "Je n'aurais jamais pensé que je vivrais jusqu'à ce jour."

"Oh, ça pourrait être pire."

"Je ne vois pas."

"Eh bien, d'après ce que je peux comprendre de sa jeunesse, ce n'était pas une jeunesse vicieuse, seulement stupide ; s'il avait été vicieux quand il était jeune, il aurait pu être terrible maintenant."

"Le premier avocat de Londres", dit Mudd d'une voix morne.

"Eh bien, il n'est pas le premier avocat à Londres à se ridiculiser, et il ne sera pas non plus le dernier. Rassurez-vous, gardez les yeux ouverts et faites votre devoir ; aucun homme ne peut faire plus que cela."

"Dois-je vous faire appeler, docteur, si son état empire ?"

"Eh bien," dit Oppenshaw ; " D'après ce que vous me dites, il ne pourrait pas être bien pire. Oh non, ne vous embêtez pas à l'envoyer, à moins, bien sûr, que la chose prenne un cours différent et qu'il devienne violent sans raison ; mais ce n'est pas le cas. " cela arrive, vous pouvez me croire sur parole."

Mudd est parti.

Il a marché jusqu'à l'hôtel Charing Cross, mais au lieu d'entrer, il a soudainement pris un taxi et est retourné à Charles Street. Ici, il a mis quelques affaires dans un sac à main, et après avoir de nouveau donné l'ordre à Mme Jukes de fermer l'assiette, il lui a dit qu'il était peut-être parti depuis un certain temps.

"Je pars avec le maître pour des affaires juridiques", a déclaré Mudd. "Assurez-vous de verrouiller la porte d'entrée et de verrouiller la plaque."

C'était la troisième ou quatrième fois qu'il lui donnait ces instructions.

"Il est fou", dit Mme Jukes en le regardant partir. Elle n'avait pas tort.

Mudd était habitué à une ornière – une ornière profonde de quarante ans. Ses tâches légères et agréables lui permettaient de passer facilement la journée. Les soirs où Simon dînait au restaurant , il rejoignait un cercle social dans le salon privé d'une taverne très respectable voisine, fumait sa pipe, buvait deux gins chauds et rentrait chez lui à dix heures trente. Quand Simon était là , il pouvait fumer sa pipe et lire son journal dans sa chambre privée. Il avait cinq cents livres sterling en banque – pas de titres ni d'actions pour Mudd – et il variait ses divertissements du soir en comptant le prix de son argent.

Il est facile de comprendre que cette sortie de l'ornière était, littéralement, une secousse.

A l' hôtel Charing Cross , il trouva la chambre qui lui était réservée, déposa ses affaires et, dédaignant les logements des domestiques, sortit dans une taverne pour lire le journal.

Il estimait que Simon ne reviendrait peut-être que tard, et il avait raison.

———————————————

CHAPITRE III
LA NUIT À L'ANCIENNE DE SIMON EN VILLE

Madame Rossignol était une charmante vieille dame de soixante ans, une production française ; aucun autre pays n'aurait pu la produire. Elle vivait à Duke Street, Leicester Square, subvenant à ses besoins et à ceux de sa fille Cerise en traduisant des livres anglais en français. Cerise faisait de la chapellerie. Madame combinait l'innocence absolue avec l'instinct absolu. Elle savait tout ; son innocence n'était pas l'ignorance, c'était la pureté – s'élevant au-dessus de la connaissance du monde et dédaignant de regarder le mal.

Elle était terriblement pauvre.

Son amour pour Cerise était comme une maladie qui la tourmentait toujours. Si elle mourait, qu'arriverait-il à Cerise ?

Les voici ensemble, serrés dans les bras l'un de l'autre. Situé dans le salon miteux, cela aurait pu être une scène au Port Saint-Martin.

"Oh, maman," murmura la jeune fille, "il n'est pas bon !"

"Il est plus que bon", dit Madame. "Bien sûr, le *bon Dieu* l'a envoyé pour être votre ange gardien."

"N'est-il pas charmant ?" reprit Cerise en se détachant de l'étreinte maternelle et en remettant de l'ordre dans ses cheveux avec un petit rire. "Si différent des Anglais au visage plombé, si gai et pourtant si—tellement——"

« Il y a quelque chose… je ne sais quoi… chez lui », dit la vieille dame ; "quelque chose de roman. N'est-ce pas comme un petit conte de Madame Périchon ou une petite pièce de théâtre de Monsieur Baree ? Ne serait-il pas entré comme dans l'un de ceux-là ? Vous sortez, vous perdez votre bourse, vous êtes perdu. J'attends pour vous à votre non-retour dans ce désert de Londres ; vous revenez, mais pas seul. Avec vous vient le marquis de Grandcourt , qui s'incline et dit : " Madame, je vous rends votre fille ; je demande en retour votre amitié. Je je suis seul, comme toi ; soyons donc amis. Je réponds : « Monsieur, vous voyez notre pauvreté, mais vous ne pouvez pas voir notre cœur ni la gratitude dans mon esprit. Quelle petite histoire !"

"Et comme il a ri et dit : 'Prends de l'argent !'", coupa Cerise. "Qu'est-ce que ça veut dire 'pendre de l'argent !' maman ? Et comment il a sorti toutes les pièces d'or comme un garçon en disant : « Je suis riche ! » — tout comme un petit garçon pourrait dire : « Je suis riche ! Je suis riche ! Aucun bourgeois n'aurait pu faire cela sans offenser, sans donner un frisson."

"Vous l'avez dit", répondit Madame. "Un petit garçon, un grand et bon homme, et pourtant un petit garçon. Il n'est pas dans sa première jeunesse, mais il y a des gens, comme Pierre Pan, qui ne perdent jamais leur jeunesse. C'est vrai, je l'ai vu."

"Simon Pattigrew ", murmura Cerise avec un petit rire.

On frappa à la porte et une petite servante à tout faire, au pied du mur, entra avec un énorme bouquet, un de ces bouquets que la jeunesse lance aux *prima donnas* .

Simon, après avoir quitté les Rossignol , avait ouvert un magasin de fleurs : voilà le résultat. Un morceau de papier accompagnait le bouquet, et sur ce papier, écrit d'une écriture qui n'apparaissait jusqu'alors que sur les lettres d'affaires et les documents juridiques, se trouvaient les mots : « De votre ami ».

Simon, après avoir frappé le fleuriste, aurait pu frapper un magasin de fruits et un magasin de bonnets, seulement que la joie de l'amour, le coup de foudre, l'amour des rêves, le rendaient incapable de faire plus d'affaires, même d'affaires. d'acheter des cadeaux pour son fascinateur.

Il était maintenant cinq heures et, poursuivant sa route vers l'ouest, il trouva Piccadilly. Il croisait les filles sans les regarder : il ne voyait que la vision de Cerise. Elle le conduisit jusqu'à l'hôpital Saint-Georges, comme pour l'éloigner des tentations de l'Occident, mais la sombre perspective de Knightsbridge l'en détourna et, se retournant, il revint. Les grandes maisons, signes de richesse et de prospérité, semblaient le charmer, comme il était attiré par tout ce qui était joli, coloré ou éblouissant.

Un restaurant scintillant l'attira bientôt, et il y dîna jovial ; tout seul, c'est vrai, mais avec de quoi regarder.

Il avait aussi une demi-bouteille de champagne et un marasquin.

Il avait déjà consommé ce jour-là un cocktail coloré , deux verres d'eau-de-vie froide et une demi-bouteille de champagne. Sa consommation habituelle d'alcool était modérée. Un verre de xérès vert à midi, et une demi-bouteille de Saint- Estéphe au déjeuner et, dirons-nous, un petit whisky-soda au dîner, ou, si vous dînez au restaurant ou avec des invités, quelques verres de Pommery .

Et aujourd'hui, il avait bu du champagne de restaurant « *tres sec* » — et deux demi-bouteilles ! L'excès commençait à se faire sentir. Cela se reflétait dans la légère rougeur de ses joues qui, chose étrange, ne le rajeunissait pas ; cela se voyait dans le pourboire qu'il donnait au serveur et dans la façon dont il mettait son chapeau. Il avait acheté une canne lors de ses pérégrinations, une canne de dandy à pompon — la mode passagère venait d'arriver — et avec celle-ci sous le bras, il quittait le café à la recherche de plaisirs nouveaux.

Le West End était désormais en feu et les théâtres se remplissaient. Simon, comme l'homme de la foule de Poe, restait avec la foule ; une flamme de lumières l'attirait comme une lampe un papillon de nuit.

Le Pallaceum l'aspirait. Ici, dans une brume bleue de fumée de tabac et au son d'un orchestre, il resta assis pendant un moment à regarder le spectacle, éclatant de rire devant les tournures comiques, satisfait de cette affaire de prestidigitation et fasciné - malgré Cerise — avec la fille en collants qui faisait des tours acrobatiques aidée par deux caniches et un singe.

Puis il trouva le bar, et il resta là, ajoutant de l'huile au plaisir, son bâton sous le bras, son chapeau renversé, un nouveau cigare à la bouche et un sourire sur le visage – un sourire avec une suggestion de fixité. Hélas! si Cerise avait pu voir le marquis de Grandcourt maintenant ! — ou est-ce Madame qui l'a élevé à la pairie de France ? Si elle avait pu être là juste pour hausser les sourcils ! Pourtant, elle était là, d'une certaine manière, car les dames du *foyer* qui le regardaient non méchamment, prises peut-être par sa *bonhomie* , et son attitude souriante et son atmosphère de richesse et de plaisir, ne trouvèrent aucune réponse. Pourtant, il trouva en quelque sorte des connaissances momentanées. Deux universitaires venus en ville pour s'amuser semblaient le trouver en partie dans l'alouette ; ils burent tous ensemble, échangèrent leurs vues, puis les hommes de l'Université disparurent, laissant la place à un gentleman au chapeau très ciré, avec des clous de diamants et un visage de faucon, qui suggérait du « pétillant », dont une petite bouteille fut consommée. principalement par le faucon, qui a ensuite disparu, laissant Simon payer.

Simon en commanda un autre, le paya, l'oublia et se retrouva dans le hall d'entrée en appelant à haute voix un fiacre.

On lui procura un taxi et la porte s'ouvrit. Il est entré et a dit : « Attendez un instant, un instant.

Puis il commença à payer des demi-couronnes au commissionnaire qui lui avait ouvert la porte du taxi. "C'est pour votre problème", dit Simon. "C'est pour votre peine. C'est pour votre peine. Où suis-je ? Oh oui, fermez cette foutue porte, voulez-vous, et dites à ce type de continuer !"

« Où aller, monsieur ?

Oppenshaw aurait été intéressé par le fait que le champagne au-delà d'une certaine quantité avait pour effet de réveiller le passé lointain de Simon. Il a répondu:

"Evans".

Consultation à l'extérieur.

" Chez Evans ? Lequel Evans ? Il n'y a pas d'hôtel de ce genre , il n'y a pas de bar de ce genre. Demandez-lui quel est Evans ? "

« De quels Evans avez-vous parlé, monsieur ? demanda le commissionnaire en passant la tête. Le cocher ne sait pas de quoi vous parlez. Où est-il ?

Il a reçu un coup sous le menton qui lui a presque projeté la tête sur le toit du taxi.

C'est alors que la tête de Simon est sortie par la fenêtre. Il regardait de haut en bas de la rue.

"Où est ce type qui a passé la tête par la fenêtre ?" demanda Simon.

Une petite foule et un policier se sont rassemblés. "Qu'y a-t-il, monsieur ?" demanda le policier.

Simon semblait calculer la distance en vue du bonneteau de l'enquêteur. Puis il sembla trouver la distance trop grande.

"Dites-lui de me conduire aux Argyle Rooms", dit-il. Puis il a disparu.

Un autre conseil dehors, présidé par le commissionnaire.

"Emmenez-le au Leicester ' Otel . Eh bien, Seigneur, bénissez- moi ! Les Argyle Rooms sont fermées depuis quarante ans. Emmenez-le partout et laissez-le faire une sieste."

Le taximan est parti avec la ferme intention de voler – non pas par la force, mais par stratégie. Vol sur le quai. Ce n'était pas encore l'heure de sortir au théâtre et il aurait la chance de gagner quelques shillings malhonnêtes. Il a pris tous les virages qu'il a pu, car chaque fois qu'un taxi prend un virage, « l'horloge » augmente en vitesse. Il conduisit ici et là, mais il n'atteignit jamais l' hôtel de Leicester , car dans Full Moon Street, la maison des évêques et des comtes, le bruit à l'intérieur du véhicule le fit s'arrêter. Il ouvrit la porte et Simon éclata, rayonnant d' humour et désormais beaucoup plus stable sur ses jambes.

"Combien?" dit Simon, puis, sans attendre de réponse, il fourra une demi-poignée de pièces de cuivre et d'argent dans le poing du taximan, lui donna une gifle sur le haut de sa casquette plate qui lui fit voir des étoiles, et s'en alla.

L'homme ne poursuivit pas, il comptait ses gains : onze pence, rien de moins.

"C'est fou", dit-il ; puis il démarra son moteur et partit, totalement inconscient du fait qu'il avait diverti et conduit quelque chose digne d'être conservé au British Museum – un véritable fêtard des années soixante.

La pleine lune brillait sur Full Moon Street, une vieille rue qui conserve encore devant ses maisons les douilles pour les torches des linkmen. Il ne faut pas beaucoup d'imagination pour voir des chaises à porteurs fantômes dans Full Moon Street une nuit comme celle-ci, ou le gardien en tournée, et ce soir, la vieille rue - si les vieilles rues ont des souvenirs - a sûrement dû remuer dans ses rêves, car, à mesure que Simon s'éloignait, la nuit commença tout à coup à être remplie de cris.

Une dame diffusant un Pom apporta son trésor dans la maison au passage de Simon et ferma la porte avec fracas ; un tel bruit que le heurtoir fit un sursaut et Simon un indice.

Dix mètres plus loin, il monta les marches, s'arrêta devant une porte d'entrée qui, en plein jour, eût été verte, et prit le heurtoir.

Quelques tours de poignet et le heurtoir était à lui, un magnifique heurtoir en laiton, pesant une demi-livre. Aucun autre jeune homme à Londres ce soir-là n'aurait pu faire ce métier de cette manière ni faire preuve d'une telle dextérité dans un art perdu comme celui de la fabrication de pinces.

Il récolta deux autres heurtoirs dans cette rue, n'en gardant qu'un seul comme trophée. Il a jeté les autres dans une zone, a tiré violemment sur la sonnette de la maison et a couru.

À Berkeley Square, il commençait tout juste à avoir affaire à un autre heurtoir, lorsque la porte s'ouvrit sur une femme âgée du genre femme de ménage et un teckel.

"Que veux-tu?" demanda la gouvernante.

« Est-ce que le duc de Cu-cu- cumberland habite ici ? hoqueta Simon.

"Non, monsieur, ce n'est pas le cas."

"Désolé… désolé… désolé", dit Simon. "Mon erreur, entièrement mon erreur. Je suis vraiment désolé de vous déranger. Quel joli petit chien ! Quel est son nom ?"

Il était désormais tout à fait affable et, oubliant les heurtoirs, souhaitait nouer une amitié, un désir que la dame ne partageait évidemment pas.

"Je pense que vous feriez mieux de partir", dit-elle en reconnaissant un gentleman et en pleurant.

Il réfléchit un moment profondément à cette proposition.

« C'est bien beau, dit-il, mais où dois-je aller ? C'est la question.

"Tu ferais mieux de rentrer chez toi."

Cela semblait légèrement l'irriter.

« *Je* ne rentrerai pas chez moi — *à cette* heure de la nuit — peu probable. Il commença à descendre les marches comme pour échapper à une remontrance. "Pas moi ; tu peux rentrer chez toi toi-même."

Il est parti.

Il fit trois fois le tour de Berkeley Square. Il rencontra un agent de police, lui demanda où se terminait cette rue et quand, trouva de la sympathie en échange de demi-couronnes et fut materné dans une rue plus droite.

À mi-chemin de la rue la plus droite, il se souvint qu'il n'avait pas montré son heurtoir à la porte au sympathique policier, mais que le policier, heureusement, avait disparu hors de vue.

Puis il resta un moment à se souvenir de Cerise. Sa vision était soudainement apparue devant lui ; cela le plongeait dans une profonde mélancolie, une profonde mélancolie. Il continua jusqu'à ce que les lumières et le bruit de Piccadilly le rétablissent. Puis, plus loin, il entra dans une porte enflammée par laquelle passait la musique d'un orchestre.

PARTIE III

CHAPITRE I
LE DERNIER SOUVERAIN

Le matin du 4 juin, le même matin où Simon s'était brisé comme un papillon de sa chrysalide de longue coutume et de routine rigide, M. Bobby Ravenshaw, neveu et seul proche parent de Simon Pettigrew, se réveilla dans ses appartements. dans Pactolus Mansions, Piccadilly bâilla, sonna pour son thé et, ramassant le livre qu'il avait posé à côté de lui en s'endormant, se mit à lire.

Le livre était *Monte Cristo* . Or, Pactolus Mansions, Piccadilly, semble être une très grande adresse, et, en fait, c'est une grande adresse, mais l'adresse est plus grande que l'endroit. D'une part, ce n'est pas à Piccadilly, l'approche se fait par une rue secondaire douteuse ; le mot « Pactolus » n'a guère de rapport avec lui, ni le mot « Demeures », et les loyers sont modérés. Au rez-de-chaussée se trouvent un restaurant et un salon avec des coins douillets .

Les gens prennent des chambres dans les demeures Pactolus et disparaissent. Le fait n'est jamais signalé à la Société de Recherches Psychiques, la lévitation étant toujours imputable à des raisons solides. Pour éviter qu'ils disparaissent avant que leur loyer ne soit payé , ils doivent payer leur loyer à l'avance. Aucun crédit n'est accordé en aucun cas. Cela semble difficile, mais il y a des avantages compensatoires : le loyer est bas, le service est bon et l'adresse est prisée.

Bobby Ravenshaw avait choisi de vivre à Pactolus Mansions parce que c'était l'endroit le moins cher où il pouvait se rapprocher de l'endroit le plus gay de la ville.

Bobby était un orphelin, un homme d'Oxford sans diplôme et ayant un goût pour la littérature et les beaux vêtements. Absolument irresponsable. Cinq cents dollars par an, provenant de Simon, dont il était le fils de la sœur unique, et un instinct de bridge qui valait deux cent cinquante autres, soutenaient Bobby d'une manière boiteuse, assisté d'amis, de tailleurs et de bottiers de confiance, et un prêteur génial qui était aussi marchand de cigares.

Bobby avait débuté dans la vie il y a un an ou deux avec une intelligence sans pareille et le soutien de l'argent, mais le destin lui avait distribué deux mauvaises cartes : une nature charmante et irresponsable, et une belle apparence. Les filles adoraient Bobby, et si ses talents l'avaient seulement propulsé sur scène, leur culte aurait pu l'aider. Dans l'état actuel des choses, cela gênait, car Bobby était un homme de lettres, et aucune fille n'a jamais acheté un livre en se basant sur la beauté de l'auteur.

Son thé étant arrivé, Bobby le but, termina le chapitre de *Monte Cristo* puis se leva et s'habilla.

Il quittait Pactolus Mansions ce jour-là pour la très bonne raison que, s'il voulait rester au-delà de midi, il lui faudrait payer un mois de loyer à l'avance, et il ne disposait que de trente shillings.

L'oncle Simon avait « saisi ». C'était l'expression de Bobby, il y a un mois. Pendant un mois, Bobby avait regardé le sable couler ; plus d'argent à rentrer et tout le temps l'argent s'épuise. Absolument pas alarmé, et remarquant seulement le fait comme il aurait pu remarquer un changement dans le temps, il n'avait pris aucune disposition, se fiant au hasard, pour combler ce qui le trahissait et à ses amis. La littérature ne pouvait pas aider. Il s'était trompé en ce qui concerne l'argent. Les petits articles publiés dans des journaux littéraires à tirage limité et au goût vraiment cultivé ne sont pas le moyen immédiat de subvenir aux besoins financiers dans un monde qui dévore sa littérature de fiction comme des sandwichs au jambon, oubliés aussitôt mangés – et seule la littérature de fiction paie.

Il pensait plus à *Monte-Cristo* qu'à sa propre position en s'habillant. Le fait qu'il doive chercher d'autres pièces l'inquiétait comme une tâche inconfortable à accomplir, mais pas beaucoup. S'il ne pouvait pas trouver d'autre chambre ce jour-là, il pourrait toujours rester avec Tozer. Tozer était un homme d'Oxford qui possédait des appartements à Albany – des appartements toujours ouverts à Bobby à toute heure. Une réserve sûre en cas de problème.

Puis, s'étant habillé, il prit son chapeau et son bâton et le souverain et le demi-souverain couchés sur la cheminée, donna un pourboire au serviteur le demi-souverain et ordonna que ses affaires soient emballées et ses bagages portés au bureau pour être laissés jusqu'à ce que il l'a réclamé.

"Je vais à la campagne", a déclaré Bobby, "et je vous enverrai mon adresse pour que les lettres soient transmises."

Puis il a commencé.

Il a d'abord appelé à l'Albany.

Tozer, fils d'un grand et défunt marchand de coton de Manchester, était un homme d'environ vingt-trois ans, roux, avec un goût pour les bonnes choses de la vie, un goût pour la boxe, un goût pour la musique et un goût dur. le bon sens qui ne l'a jamais abandonné même dans ses humeurs les plus gaies et les plus frivoles. Ses appartements étaient nouvellement meublés, les murs du salon ornés de gravures anciennes, pour la plupart des épreuves avant lettre ; des gants de boxe et des bâtons individuels faisaient allusion à eux-mêmes, et un violoncelle se tenait dans le coin.

Il était en train de prendre son petit-déjeuner quand Bobby arriva. Tozer sonna pour demander une autre tasse et une autre assiette.

"Tozer", a déclaré Bobby, "je suis en faillite."

"Je ne suis pas surpris de l'entendre", répondit Tozer. "Essayez ces harengs."

"Un seul souverain au monde, mon garçon, et je suis à la recherche de nouvelles chambres."

"Qu'est-ce qu'il y a avec tes anciennes chambres ? On t'a mis dehors ?"

Bobby a expliqué.

"Bon dieu!" » dit Tozer. "Vous avez coupé le sol sous vos pieds en restant dans un endroit comme celui-là."

"Tout n'est pas de ma faute, c'est celle de mon parent. Je me suis toujours vanté auprès de lui de payer mon loyer à l'avance ; il a pris cela comme un signe de sagesse."

"Qu'est-ce qui l'a poussé à se venger de toi ?"

"Une fille."

"Quelle direction?"

"Eh bien, c'était comme ça. J'habitais chez les Huntingdon , vous savez, dans le Warwickshire."

"Je sais, la foule du bridge et du brandy."

"Oh, ils vont bien. Eh bien, j'habitais avec eux quand je l'ai rencontrée."

"Quel-est son nom?"

"Alice Carruthers."

"Allez en avant."

"Je me suis fiancé avec elle ; elle n'avait pas un sou."

"Juste comme toi."

"Et ses gens n'ont pas un sou, et j'ai écrit comme un imbécile en le disant au parent. Il m'a donné le choix de lui couper la parole ou d'être retranché. Il semble que son peuple était le véritable obstacle. Il a écrit des choses assez diffamatoires à leur sujet. . J'ai refusé."

"Bien sûr."

"Et il m'a interrompu. Eh bien, le plus drôle, c'est qu'elle m'a interrompu une semaine plus tard, et elle est maintenant fiancée à un type appelé Harkness."

"Eh bien, pourquoi ne le dis-tu pas au parent et ne te réconcilies-tu pas ?"

" Dites -lui qu'elle m'a viré ! D'ailleurs, ça ne sert à rien, il passerait à autre chose, à ce qu'il appelle des extravagances et des irresponsabilités ."

"Je vois."

"C'est comme ça."

"Ecoute ici, Bobby," dit Tozer, "tu dois juste arrêter toutes ces absurdités et te mettre au travail. Tu t'es ridiculisé."

"Oui," dit Bobby en se servant de la marmelade.

"Ça ne sert à rien de dire 'je l'ai fait' et ensuite d'oublier. Je te connais. Tu es un bon gars, Bobby, mais tu n'es pas dans le bon set ; tu n'as pas pu suivre le rythme. Tu as beaucoup d'intelligence. et tu vas pourrir. Travaille!"

"Comment?"

"Écrivez", a déclaré Tozer, qui croyait en Bobby et détestait le voir se perdre. "Écrivez. Je vous ai toujours exhorté à vous installer et à écrire."

"J'ai gagné cinq livres dix l'année dernière en écrivant", a déclaré Bobby.

"Je sais, des articles sur la vieille poésie française et ainsi de suite. Vous devez écrire de la fiction. Vous pouvez le faire. Cette petite histoire que vous avez écrite pour Tillson était déchirante."

"Le diable," dit Bobby, "je ne trouve pas d'intrigues. Je peux bien écrire si j'ai seulement quelque chose à écrire, mais je ne trouve pas d'intrigues."

"C'est de la foutaise et de la pure paresse. Impossible de trouver des intrigues, avec votre expérience de Londres et de la vie ! Vous devez trouver des intrigues, et les trouver précises ; c'est le seul métier qui vous est ouvert. Vous pouvez le faire, et cela paie. Maintenant regarde ici, BR, je vais te financer——"

"Merci énormément", dit Bobby en se servant d'une cigarette dans une boîte posée sur une petite table à proximité .

"Réservez vos remerciements. Je ne vais pas financer un fainéant, ce que vous êtes actuellement, mais un homme de lettres travailleur, ce que vous serez quand j'en aurai fini avec vous. Je vous donnerai une chambre ici au strict minimum. conditions que vous restiez tôt cinq jours par semaine.

"Oui."

"Que tu abandonnes le bridge."

"Oui."

"Et tromper les filles."

"Oui."

"Et ce jour-là, partez et trouvez une intrigue pour une bonne fiction, honnête et payante, d'une longueur de roman. Je ne vais pas vous laisser partir avec l'écriture d'une nouvelle."

"Oui."

"Je connais un bon éditeur, et je vous assure que la chose sera publiée dans la meilleure forme possible, que je soutiendrai la publicité et la promotion - vous voyez ? Et je vous promets que, quelle que soit l'issue de la chose, vous aurez deux cents livres. Vous obtiendrez tous les bénéfices si c'est un succès, comprenez-moi ?

"Oui."

"Vous disposerez de cinq livres sterling d'argent de poche par semaine pendant que vous écrivez, à rembourser sur les bénéfices si les bénéfices dépassent deux cents, et à ne pas rembourser s'ils ne le font pas."

"Je n'aime pas prendre de l'argent pour rien", a déclaré Bobby.

"Vous ne l'obtiendrez pas, seulement en travaillant dur. En plus, c'est pour mon amusement et mon intérêt. Je crois en vous et je veux que ma croyance soit justifiée. Vous n'aurez jamais à vous soucier de me prendre de l'argent. Premièrement, j'ai beaucoup ; deuxièmement, je ne le donne jamais sans *contrepartie*, l'instinct commercial est trop fort en moi."

"Eh bien," dit Bobby, "c'est très gentil de votre part, et je vous rembourserai le montant, si..."

Tozer allumait une cigarette ; il jeta l'allumette avec impatience.

"Si ! Vous ne ferez rien si vous commencez par un 'si'. Maintenant, décidez-vous rapidement sans aucun « si ». Veux-tu, ou pas ? »

"Je le ferai", dit Bobby, comprenant soudainement l'idée et s'enflammant. "Je crois que je peux le faire si——"

"Si!" cria Tozer.

"Je le *ferai* . Je trouverai un complot. Je vais tout de suite me creuser la cervelle, je vais chasser."

" Alors, va-t'en, " dit Tozer, " et envoie tes bagages ici et reviens ce soir avec ton terrain. Tu peux travailler dans ta chambre et tu peux prendre tous tes repas ici - j'ai oublié de l'inclure. Maintenant, je Je vais jouer un air au violoncelle.

Bobby est parti le cœur léger. Sa position, avant de faire appel à Tozer, commençait vraiment à lui peser. Tozer lui avait donné bien plus que la promesse d'un soutien financier, il lui avait apporté le soutien de son bon sens. Il l'avait légèrement "mâché", et Bobby s'en sentait d'autant mieux. C'était comme un tonique. Sa bonne humeur alors qu'il descendait les escaliers augmentait à chaque pas fait.

Bobby n'était pas une éponge. Bridge et son parent l'avaient fait vivre, et il avait toujours réussi à faire face à ses dettes, à l'exception peut-être d'un ou deux commerçants ; il n'aurait pas non plus accepté cette faveur d'un autre homme que Tozer, et peut-être même de Tozer si elle n'avait pas été accompagnée de « mâchoires ».

donc , le cœur léger, jeune, beau, bien habillé, mais avec seulement un souverain, à la recherche de l'intrigue d'un roman dans le paysage estival de Londres.

Eh bien, il était l'intrigue d'un roman, ou du moins le début d'un roman, s'il l'avait su !

Ce n'était pas le cas, mais il avait une connaissance intime des penchants fictionnels de Tozer et une fine compréhension de ce que voulait exactement Tozer. Os, côtes et vertèbres, construction – ou, en d'autres termes, histoire. Tozer ne pouvait pas se contenter d'une belle écriture, de longs chapitres introspectifs traitant de l'enfance de l'auteur, d'une fausse psychologie déguisée en fiction ; et d'ailleurs Bobby n'aurait pas pu fournir ces deux dernières caractéristiques. Tozer voulait de l'action, des gens se déplaçant debout sous la domination du dessein de l'auteur, à travers des situations, vers un but défini.

Dans Vigo Street, et malgré l'aura d'inspiration autour de Bodley Head, la bonne humeur de Bobby fut légèrement éclipsée ; il lui sembla tout à coup qu'il avait entrepris une tâche. Dans Cork Street, alors qu'il regardait un instant les éditions rares exposées dans les vitrines d'Elkin Mathews, ce sentiment s'est accru et a pris de l'ampleur.

Pour Bobby, une tâche signifiait une chose désagréable à accomplir, et les volumes élégants des poètes mineurs, les exemplaires du Livre jaune et les éditions de belles lettres reliées en vélin lui disaient : « Tu dois écrire un roman, mon garçon. , un bon roman de Mudie , le genre de roman que les Tozers de la vie paieront ; pas de petits essais écrits avec le petit doigt levé. Pas de vers modernes comme vos « Harmonies et Discordes », qui vous coûtent vingt-cinq livres à produire et à produire. vendu seize exemplaires de lui-même, d'après les derniers retours. Il faut être le forgeron harmonieux maintenant ; enfilez votre tablier, mettez-vous sous votre châtaignier étalé et produisez.

À Bond Street, il a rencontré Lord Billy Tottenham, un compatriote oxonien , qui a trouvé la mort dans un trou de boue en Flandre l'autre année.

Lord Billy, au visage enfantin, suffisant mais immobile, orné de lunettes cerclées d'écaille de tortue.

"Bonjour Bobby !" » dit Billy.

"Bonjour Billy !" dit Bobby.

"Qu'est-ce qui ne va pas?" » demanda Billy.

"Fauché dans le monde, mon cher gars."

"Quel était le cheval ?" » demanda Billy.

"' Ce n'était pas un cheval, une fille, surtout."

"Eh bien, tu n'es pas le premier gars à se faire briser par une fille", dit Billy. "Marchez un peu, mais ça aurait pu être pire."

"Comment ça?"

"Elle aurait pu t'épouser."

"Peut-être ; mais le pire, c'est que je dois travailler : retrousser mes manches et travailler."

"Quoi à?"

« Écriture de roman ».

"Eh bien, c'est assez simple", dit joyeusement Billy. "Vous pouvez facilement trouver un couturier littéraire pour écrire et y coller votre nom, et nous achèterons tous vos livres, mon garçon, nous achèterons tous vos livres; non pas que j'aie jamais beaucoup lu de livres, mais je" Je les achèterai si vous les écrivez . Entrez chez Jubber .

Bras dessus bras dessous, ils entrèrent au Long's Hotel, où résidait Billy, et autour d'un whisky et d'un soda mutuels, ils oublièrent des livres et discutèrent de chevaux ; ils déjeunèrent ensemble et discutèrent de chiens, de filles et d'amis communs. C'était comme au bon vieux temps, mais au-dessus des liqueurs et de la fumée de cigarette, Bobby eut soudain la vision de Tozer. Il dit au revoir au riche et partit. "Je dois travailler", a déclaré Bobby.

Son écart momentané par rapport à la cible ne servait qu'à le ressaisir, et il semblait, maintenant, que le déjeuner et cet écart avaient rendu les choses plus faciles. Il se dit que s'il n'avait pas assez d'intelligence pour inventer une sorte d'intrigue pour un roman à six shillings, il ferait mieux de se noyer. S'il ne pouvait pas faire ce que faisaient des centaines de personnes avec la moitié de sa connaissance du monde et de ses capacités, il serait une tasse de première eau.

Si quelque chose le déprimait, c'était l'horrible et futile assurance de Billy que « ses amis achèteraient ses livres ». Il se rendit à Pactolus Mansions et fit envoyer ses bagages à l'Albany, puis il changea de souverain et acheta un cigare, puis un omnibus lui donna l'inspiration. Il montait au sommet d'un omnibus et, dans cette position fraîche et aérée, réfléchissait un peu.

Ce n'était pas une idée originale ; il avait lu ou entendu parler d'un auteur célèbre qui inventait ses intrigues sur le toit des omnibus — mais c'était une idée. Il grimpa au sommet d'un autobus qui se dirigeait vers l'est et, derrière une grosse dame avec des clairons sur le capot, essaya de se calmer.

Pourquoi ne pas faire une histoire sur... Billy ? Les gens aimaient lire sur l'aristocratie, et Billy était un personnage à sa manière et de nombreuses histoires lui étaient attachées. Il pourrait commencer le livre en beauté, simplement à partir de visions rappelées de Lord William Tottenham dans ses humeurs les plus gaies. LWT vide des bouteilles de cliquot dans un piano à queue à Oxford. Oxford – oui, de plus en plus grandiose – le livre devrait commencer à Oxford avec un tableau nouveau et vigoureux de la vie universitaire . Tozer entrait, et une foule d'autres ; puis, après Oxford, c'est là que le bât blesse.

L'histoire qui avait commencé si brillamment s'arrêta brusquement.

Un personnage et une situation ne font pas une histoire.

Ils étaient arrivés à la Banque, comme par dérision, quand il se dit cela. Il descendit de l'omnibus et monta dans un autre en direction de l'ouest, retournant au pays qu'il connaissait. Il se souvenait de l'expression « se creuser la tête pour trouver un complot ». Il en connaissait désormais le sens.

À Piccadilly Circus, là où toutes choses se rencontrent, une jeune fille rousse, dégingandée et sauvage, coiffée d'un chapeau illustré et dans un accès d'abstraction - c'était l'impression qu'elle donnait - a attiré son attention. En un instant, il la poursuivit.

Voici le salut. Julia Delyse , la dernière catch-on, dont les livres se vendaient par centaines de milliers. Il l'avait rencontrée au Bal des Trois Arts et une fois depuis. Elle l'avait appelé Bobby la deuxième fois. Il avait flirté avec elle, comme il flirtait avec tout ce qui portait une jupe, et il l'avait oubliée. Elle était très moderne ; assez moderne pour relever les cheveux sur le cuir chevelu d'une grand-mère. Son apparence était à la hauteur.

"Bonjour", dit-il.

"Bonjour, Bobby", dit Julia.

"Tu es juste la personne que je veux voir", a déclaré Bobby.

"Comment ça va ?" dit Julia.

"Je suis dans le pétrin."

"Quel genre de solution ?"

"Je dois écrire un roman."

"Qu'est-ce qui est pressé ?" demanda Julia.

"L'argent", a déclaré Bobby.

"Faire de l'argent?"

"Oui."

"Si vous écrivez pour de l'argent, vous êtes perdu", dit Julia.

"Je suis perdu de toute façon", répondit Bobby. "Où vas-tu?"

" Chez moi, mon appartement est tout près. Viens prendre le thé. "

"Ça ne me dérange pas. Eh bien maintenant, regarde ici ; je dois le faire et je ne trouve rien sur quoi écrire."

« Avec tout Londres devant vous ?

"Je sais, mais quand je commence à réfléchir, tout est derrière moi. Je veux que tu me lances avec une idée ; tu es plein d'idées et tu connais les ficelles du métier."

Ils étaient arrivés à l'appartement et la dame avec des idées l'a fait entrer.

Le salon était dans un décor noir avec des effets japonais ; elle offrit des cigarettes, en alluma une elle-même et du thé fut apporté.

Puis l'hypnotisme a commencé.

Le fait qu'elle soit une « auteure célèbre » n'aurait pas eu d'importance pour Bobby hier ; aujourd'hui, sur sa nouvelle route étrange, cela lui prêtait un charme qui complétait la fascination de ses yeux merveilleux. Ils semblaient sauvages dans la rue, mais quand elle les regardait attentivement, ils étaient merveilleux. Les intrigues étaient oubliées et, dans le crépuscule, on aurait pu entendre la voix pleine et musicale de Bobby discuter de littérature – avec de longues pauses.

"Chère vieille chose... Est-ce que ce coussin est confortable ?... Oh, dérange la fille et les choses à thé !... Mets simplement ta tête ainsi—ainsi..."

Il avait été accroché vingt fois par des filles et décroché par ses parents ou rejeté par la pêcheuse après avoir inspecté son solde en banque, mais il n'avait jamais été accroché de cette manière auparavant, car Julia n'avait pas de parents à proprement parler ; elle était au-dessus des soldes bancaires, et sa poigne était de fer lorsqu'il s'agissait de passion et d'éditeurs. Ses éditeurs auraient pu vous le dire par la manière dont elle s'est emparée de ses droits lorsqu'ils ont essayé de l'en priver, car, malgré ses yeux merveilleux, son air sauvage et le fait qu'elle était un génie, elle était pratique et tenace dans son maintien. .

Puis, à la fin de la *séance* , Bobby s'est retrouvé à quitter l'appartement, un homme à moitié ligoté. Il ne se souvenait pas s'il lui avait proposé ou si elle lui avait proposé, ou si l'un d'eux avait proposé ou réellement accepté, mais il y avait un lien entre eux, un lien assez léger et qui n'engageait aucun tribunal ; c'était moins un engagement qu'un attachement, se disait-il.

Il se souvint cependant dans la rue qu'un lien entre lui et une auteure n'était pas ce que Tozer souhaitait ; il n'avait reçu aucune intrigue ni même une allusion littéraire. S'il avait conservé ses sens pendant la *séance* et s'il avait eu connaissance des livres brillants et cyniques de Julia Delyse , il se serait peut-être demandé d'où lui venaient cet éclat et ce cynisme. En amour, Julia était absolument analphabète – et un peu lourde – accrochée, pour ainsi dire.

L'idée momentanée de revenir en courant demander le complot oublié, comme un chapeau laissé derrière elle, fut dissipé par ce sentiment soudain qu'elle était lourde.

Sous la fascination de ses yeux et dans cette pièce étrange, elle semblait légère ; dans St. James's Street, où il se trouvait maintenant, elle semblait lourde. Et il lui faudrait continuer avec cet attachement pendant un certain temps ou être une brute. Cette reconnaissance, accompagnée du souvenir de Tozer et de son échec dans sa recherche de l'essentiel, le déprima un instant. Puis il décida de tout oublier et d'aller dîner. En d'autres termes, n'ayant pas réussi à trouver ce qu'il voulait, il a arrêté de chercher, laissant l'affaire entre les mains du hasard aveugle.

CHAPITRE II
ONCLE SIMON

Ou le destin, si vous préférez, car il était prévu que Bobby trouve ce jour-là la chose qu'il cherchait.

Il dîna dans un petit club qu'il fréquentait dans une rue à côté de St. James's Street, rencontra un ami nommé Foulkes et se rendit à l'Alhambra, Foulkes insistant pour payer tous les frais.

Ils quittèrent l'Alhambra à dix heures et demie.

"Je dois retourner à l'Albany", a déclaré Bobby. "Je partage une chambre avec un type, et c'est un lève-tôt."

"Oh, laissez-le attendre", a déclaré Foulkes. "Viens dix minutes au Stage Club."

Ils sont allés au Stage Club. Puis, l'endroit étant vide et peu amusant à trouver là-bas, ils partirent, Foulkes déclarant sa détermination à accompagner Bobby une partie du chemin du retour.

En passant devant un grand hall d'entrée flamboyant de lumière et rempli du bruit d'un groupe lointain, Foulkes s'arrêta.

"Entrez ici un instant", dit-il. Ils y entrèrent.

L'endroit était gai, très gai. De petites tables aux dessus de marbre se tenaient là ; Des serveurs français courent de table en table et servent les invités, mesdames et messieurs.

De nombreux hommes se tenaient devant un long bar scintillant, et un groupe rouge hongrois discourait sur de la musique écarlate.

Foulkes prit une table et commanda un rafraîchissement. L'endroit était horrible. On ne pouvait pas dire exactement ce qu'il y avait dans cet endroit qui allait à l'encontre de tous les sentiments les plus raffinés et du sentiment d'appartenance, de simplicité et de bonheur.

Bobby, plutôt déprimé, le ressentait, mais Foulkes, un homme aux fibres plus dures , semblait plutôt heureux.

"Qu'as-tu, Ravenshaw ?" » demanda Foulkes.

"Rien", a déclaré Bobby. "Non, je n'aurai plus à boire. J'ai du travail à faire——"

Puis il s'arrêta et regarda devant lui les yeux écarquillés.

"Qu'est ce que c'est maintenant?" » demanda Foulkes.

"Bon dieu!" dit Bobby. "Regardez ce type au bar !"

"Lequel?"

"Celui avec le chapeau de paille sur l'arrière de la tête. Ce n'est pas possible, mais c'est le cas, c'est le Parent."

"Celui dont vous m'avez parlé vous a viré et vous a interrompu avec un shilling ?"

"Oui. Oncle Simon. Non, ce n'est pas le cas, ce n'est pas possible. Il est cependant avec un *chapeau de paille*."

"Et moelleux ", a déclaré Foulkes.

Bobby se leva et, laissant l'autre, se dirigea vers le bar avec désinvolture. L'homme au bar jouait avec un verre d'eau gazeuse qui lui avait été fourni en guise de tolérance. Bobby s'est approché de lui. Oui, c'était la main droite avec la cicatrice blanche – obtenue lorsqu'un jeune homme « chassait » – et la bague de phoque.

La dernière fois que Bobby avait rencontré Oncle Simon, c'était dans le bureau du Old Serjeants' Inn. L'oncle Simon, assis à sa table de bureau, dos au grand coffre-fort de John Tann, était d'humeur amère ; pas en colère, mais sévère. Bobby assis devant lui, son chapeau à la main, n'avait présenté aucune excuse ni disculpation pour sa conduite avec les filles, pour ses stupides fiançailles, pour son oisiveté. Il avait beaucoup de mauvais défauts, mais il ne les niait jamais, ni ne cherchait à les minimiser par des explications et des mensonges.

"J'ai essayé de te faire flotter", avait dit oncle Simon, comme si Bobby était une entreprise. " J'ai échoué. Eh bien, j'ai fait mon devoir, et je vois bien que je ne ferai pas mon devoir en continuant comme je l'ai fait ; l'allocation que je vous ai faite est terminée. Vous devrez maintenant nager pour vous-même. Je n'aurais jamais dû mettre de l'argent entre vos mains ; je le vois bien. »

"Je peux gagner ma vie", a déclaré Bobby. "Je ne suis pas sans gratitude pour ce que vous avez fait——"

"Et c'est une belle façon de montrer votre gratitude", dit l'autre, "en vous embêtant comme ça, en jouant, en fréquentant les bars."

donc terminé. Des bars fréquents !

"Oncle Simon !" » dit Bobby à moitié nerveusement, touchant l'autre sur le bras.

L'oncle Simon se retourna lentement. Bobby aurait pu être le roi Canut, d'après ce qu'oncle Simon savait. Il avait dépassé le stade où le mot « oncle » venant d'un étranger aurait suscité colère ou surprise.

" Et toi ? " dit Simon. "Prendre un verre?"

Oui, c'était bien Oncle Simon, et Bobby, de toute sa vie, n'avait jamais reçu un choc tel que celui qui lui venait maintenant avec la pleine reconnaissance du fait. La cathédrale Saint-Paul transformée en casino, l'évêque de Londres habillé en clown, n'auraient rien été à cela. Il était horrifié. Il arriva rapidement à la conclusion que l'oncle Simon s'était brisé d'une manière ou d'une autre et était devenu fou. Une vague idée lui traversa l'esprit que son respecté parent était habillé ainsi pour se déguiser pour éviter les créanciers, mais il avait assez de bon sens pour ne pas poser de questions.

"Cela ne me dérange pas", dit-il; "Je vais prendre un petit soda."

« Petite grand-mère », dit l'autre ; puis, faisant un signe de tête au barman, "' Un autre pareil que le mien."

"Qu'avez-vous fait?" » demanda vaguement Bobby en prenant le verre.

« Tournez la ville, tournez la ville », répondit l'autre. " Enchanté de vous rencontrer. Qu'est-ce que vous faites ? "

"Oh, je viens de faire le tour de la ville."

" Tournez la ville, c'est comme ça... tournez la ville ", répondit l'autre. " Roulez , roulez , roulez, tournez la ville. "

Foulkes s'est lancé dans cette discussion intellectuelle.

"Je m'en vais", a déclaré Foulkes.

"Reste un peu ", dit l'oncle Simon. "Qu'est-ce que tu auras ?"

"Rien, merci", dit Foulkes.

"Allez," dit Bobby en prenant le bras de son parent.

" Où ?" demanda l'autre en reculant légèrement.

"Oh, nous allons faire le tour de la ville, en rond. Allez." Puis à Foulkes : « Prenez un taxi, vite !

Foulkes disparut vers la porte.

Puis Simon, adhérant à l'idée de faire le tour de la ville, bras dessus bras dessous, les deux hommes se faufilèrent entre les tables, sous le feu de tous les regards, Simon montrant des dispositions à s'arrêter et à discuter avec des inconnus assis et absolus, Bobby en sueur. et en rougissant. Toutes les conférences sur la vie rapide qu'il avait jamais endurées n'étaient rien de comparable ; la honte de la folie, pour la première fois de sa vie, lui apparut définitivement, et le soulagement de la rue et du taxi qui attendait au-delà des mots.

Ils ont enfermé Simon.

"N° 12, King Charles Street, Westminster", dit Bobby au chauffeur.

La tête et le buste de l'oncle Simon apparurent à la portière du véhicule, l'adresse donnée par Bobby semblant avoir paralysé dans son esprit l'idée de faire le tour de la ville.

« Hôtel Ch'ing Cross », dit-il. " Qu'est-ce que tu veux dire en donnant une mauvaise adresse ? Je reste à l'hôtel Ch'ing Cross."

"Eh bien, allons d'abord à Charles Street ″, approuva Bobby.

"Non, Ch'ing Cross Hotel, des bagages attendent là-bas."

Bobby fit une pause.

Serait-il possible que ce soit la vérité ? Cela ne pouvait pas être plus étrange que la vérité devant lui.

"Très bien", dit-il. "Hôtel Charing Cross, chauffeur."

Il dit au revoir à Foulkes, monta et ferma la porte.

L'oncle Simon semblait endormi.

L'hôtel Charing Cross n'était qu'à une très courte distance, et quand ils arrivèrent là-bas, Bobby, laissant celui qui dormait tranquille, sauta dehors pour s'enquérir si un M. Pettigrew y séjournait ; sinon, il pourrait continuer jusqu'à Charles Street.

Dans le couloir, il trouva le veilleur de nuit et Mudd.

« Bon Dieu ! M. Robert, que faites-vous ici ? dit Mudd.

Bobby prit Mudd à part.

"Qu'est-ce qu'il y a avec mon oncle, Mudd ?" » demanda Bobby dans un demi-murmure tragique.

"Matière!" » dit Mudd, extrêmemement alarmé. "Qu'est-ce qu'il fait ?"

"Je l'ai dans un taxi dehors", a déclaré Bobby.

"Oh, Dieu merci !" dit Mudd. "Il n'est pas blessé, n'est-ce pas ?"

"Non, seulement trois draps au vent."

Mudd s'éloigna vers la porte, suivi de l'autre.

Simon dormait encore.

Ils l'ont fait sortir, et à eux deux, ils l'ont ramené, Bobby payant le prix du voyage avec le reste de son souverain.

Arrivé dans la chambre, Mudd alluma la lumière électrique, puis, à eux deux, ils mirent le fêtard au lit. Pliant son manteau, Mudd, fouillant dans les poches, trouva un heurtoir de porte en laiton. "Bon dieu!" murmura Mudd. "Il a pris des heurtoirs."

Il cacha le heurtoir dans un tiroir et continua. Deux livres dix, c'était tout l'argent que l'on trouvait dans les vêtements, mais Simon avait conservé sa montre et sa chaîne par miracle.

le pyjama de Simon , sorti d'un tiroir par Mudd ; de la soie rayée bleue et jaune, rien de moins.

"Il ira bien maintenant, et je vais le revoir", a déclaré Mudd. "Descendez, M. Robert."

"Mudd," dit Bobby, quand ils furent de nouveau dans le hall, "qu'est-ce qu'il y a ?"

"Il est parti", a déclaré Mudd; "parti dans la tête."

"Fou?"

"Non, pas fou, c'est une abrogation temporaire. Certaines maladies sont nouvelles, dit le médecin. C'est sa jeunesse qui lui revient, poussée comme une dent de sagesse. Hier, il avait aussi raison que vous ou moi; ce matin, il est parti." pour le bureau aussi bien que moi. Cela a dû le surprendre soudainement. La même chose s'est produite l'année dernière et il s'en est remis. Mais cela a pris un mois.

"Bonté divine!" dit Bobby. "Je l'ai rencontré dans un bar, par hasard. S'il continue comme ça pendant un mois , tu auras du pain sur la planche, Mudd."

"Il n'y a pas de nom", a déclaré Mudd. "M. Robert, cela doit rester proche de la famille et loin du bureau ; vous devez l'aider."

"Je ferai de mon mieux", dit Bobby sans enthousiasme, "mais, attends, Mudd, j'ai ma vie à gagner maintenant. Je n'ai pas le temps de traîner dans les bars et les lieux, et si ce soir c'est un échantillon ——"

"Nous devons l'emmener à la campagne ou ailleurs", a déclaré Mudd, "sinon cela signifie la ruine de l'entreprise et Dieu sait quoi. Il faut le faire, M. Robert, et vous devez l'aider. , étant le seul parent."

« Ce médecin ne pourrait-il pas prendre soin de lui ?

"Pas lui", a déclaré Mudd; "Il m'a donné des instructions. Le maître doit simplement être laissé seul dans la raison; tout contrecarrement ou contrôle pourrait le faire disparaître. Il doit être conduit, pas conduit."

Bobby siffla doucement et entre ses dents. Il ne pouvait pas abandonner oncle Simon. Il ne se souvenait jamais que l'oncle Simon l'avait abandonné pour une telle conduite, ou encore moins, car Bobby, aussi stupide soit-il, était rarement descendu dans la position dans laquelle il avait trouvé l'oncle Simon tout à l'heure.

Bobby était jeune, généreux, oublieux et facile à pardonner, donc le fait que le Parent l'ait abandonné et lui ait coupé la route avec un shilling ne lui est jamais venu à l'esprit à ce moment critique.

Il fallait s'occuper de l'oncle Simon. Il sentit la véracité des paroles de Mudd à propos du bureau. Si cette affaire était connue, cela mettrait l'entreprise en pièces. Bobby n'était pas idiot et il connaissait quelque peu les responsabilités de Simon ; il administrait les successions, il avait la charge de l'argent en fiducie, il était le notaire le plus respecté de Londres. Cieux! si cela était su, quel refuge pour clients effrayés le Old Serjeants' Inn deviendrait en vingt-quatre heures !

Là encore, Bobby était un Ravenshaw. Les Ravenshaw étaient bien au-dessus des Pettigrew . Les Ravenshaw étaient une race fière, et le vieil amiral, son père, qui avait perdu tout son argent en obligations patagoniennes, était le plus fier du lot, et il avait transmis sa fierté à son fils.

Oui, même en laissant de côté le bureau, il faut s'occuper de l'oncle Simon.

Or, si US avait été un fou, la tâche aurait été abominable mais simple, mais un homme qui avait soudainement développé une jeunesse extraordinaire, mais qui était pourtant, selon le médecin, sain d'esprit - un homme qu'il fallait simplement divertir et diriger - était une proposition pire. .

Jouer le rôle de chef d'ours auprès d'un jeune imbécile était une tout autre chose que d'être soi-même un jeune imbécile. Même son expérience d'il y a une heure l'a dit à Bobby ; cette courte expérience fut sa première leçon aiguë sur le dégoût de la folie. Il hésitait à poursuivre cette tâche. Mais il faut s'occuper de l'oncle Simon. Il ne pouvait pas passer par-dessus ou par-dessous cette clôture.

"Eh bien, je ferai ce que je peux", dit-il. "Je viendrai demain matin. Mais regarde, Mudd, d'où vient-il son argent ?"

"Il a dix mille livres cachés quelque part", a déclaré Mudd.

"Dix mille quoi ?"

"Des livres. Dix mille livres cachées quelque part. Le médecin m'a dit qu'il les avait. Il a tiré la même chose l'année dernière et en a dépensé cinq en un mois."

"Cinq livres?"

"Cinq mille, M. Robert."

"Cinq mille en un mois ! Dis-je, c'est sérieux, Mudd."

"Oh, Seigneur ! Oh, Seigneur !" dit Mudd. "Ne me le dis pas, je sais, et moi, ça fait cinq cents ans que je travaille quarante ans."

"Il n'aurait pas pu le sortir avec lui aujourd'hui, tu crois ?"

"Non, M. Robert, je ne pense pas qu'il soit allé aussi loin que ça. Il a toujours été assez proche de son argent, et la proximité persiste, abrogation ou pas abrogation; mais ce n'est pas l'argent qui m'inquiète tant . comme les femmes. »

"Quelles femmes ?"

"Ceux qui sont toujours à la recherche de gens comme lui."

"Eh bien, nous devons les calmer ", a déclaré Bobby.

"Vous serez là demain matin, M. Robert ?"

"Oui, je serai là et, en attendant, je garderai un oeil sur lui."

"Oh, je vais le surveiller", a déclaré Mudd.

Puis le veilleur de nuit, bâillant, vit cette étrange conférence se terminer, Mudd monter à l'étage et Bobby partir, un jeune homme plus sobre et plus sage même qu'à son entrée.

Il était tard lorsqu'il atteignit l'Albany. Tozer était assis, lisant un livre sur le contrepoint.

"Eh bien, quelle chance ?" » demanda Tozer, ravi de la gravité et de la sobriété de l'autre.

"J'ai trouvé un complot", a déclaré Bobby ; "Au moins, au milieu d'un, mais c'est ivre."

"Pompette?"

"C'est mon... Tozer, c'est un secret mort entre toi et moi... c'est mon parent."

"Ton oncle?"

"Oui."

"Qu'est-ce que tu veux dire ?"

Bobby a expliqué.

Tozer prépara du thé au-dessus d'une lampe à alcool tout en écoutant, puis il tendit une tasse à l'autre.

"C'est intéressant", dit-il en se rasseyant et en remplissant une pipe. "C'est intéressant."

"Mais regarde," dit l'autre, "tu y crois ? Un homme peut-il redevenir jeune et tout oublier et continuer ainsi ?"

"Je ne sais pas", a déclaré Tozer, "mais je crois qu'il peut le faire – et il semble le faire, n'est-ce pas ?"

"Il le fait ; nous avons trouvé un heurtoir dans la poche de son manteau."

"Je vous demande pardon, quoi ?"

" Un heurtoir de porte ; il a dû l'arracher quelque part sur une porte, un gros heurtoir de cuivre, comme une tête de lion. "

"Quel âge a-t-il?"

"Oncle?"

"Oui."

"Soixante."

Tozer a calculé.

"Il y a quarante ans, oui, les jeunes gens de la ville sonnaient encore aux portes, ça sortait, mais j'avais un oncle qui le faisait. C'est intéressant." Puis il a explosé. Il n'avait jamais vu Simon l'avocat, sinon sa gaieté aurait pu être plus forte.

"C'est très facile de rire", dit Bobby, plutôt vexé, "mais tu ne rirais pas si tu étais à ma place - je dois prendre soin de lui."

"Je vous demande pardon", a déclaré Tozer. "Maintenant, laissez-moi être sérieux. Quoi qu'il arrive, vous avez une belle *ficelle* pour une histoire. Je suis sérieux ; il ne manque que de s'arranger."

"Oh, mon Dieu !" dit Bobby. "Est-ce qu'on mange sa grand-mère ? Et comment puis-je écrire des histoires ainsi liées ?"

"Il l'écrira pour toi", dit Tozer, "ou je me trompe lourdement, si seulement tu tiens bon et lui donne une chance. Il l'a commencé pour toi. Et quant à manger ta grand-mère, les oncles ne sont pas des grand-mères. , et tu peux changer son nom."

"J'aimerais bien pouvoir le faire", a déclaré Bobby. "La terreur dans laquelle je suis, c'est que son nom soit révélé lors d'une folle escapade."

"Je suppose qu'il a été dans la même terreur à votre égard", a déclaré Tozer, "plusieurs fois."

"Oui, mais je n'avais pas de bureau à entretenir ni une grande entreprise."

"Eh bien, tu en as un maintenant", dit Tozer, "et ça t'apprendra la responsabilité, Bobby ; ça t'apprendra la responsabilité."

« Suspendez la responsabilité ! »

" Je sais ; c'est sans doute ce que votre oncle a souvent dit. La responsabilité est la seule chose qui stabilise les hommes, et le sens de celle-ci est le grand-père de tous les autres sens décents. Vous deviendrez un homme bien meilleur pour cela, Bobby, ou je ne m'appelle pas Tozer."

"J'aurais aimé que ce soit Ravenshaw", a déclaré Bobby. Puis le souvenir le fit réfléchir.

"Je devrais vous dire..." dit-il, puis il s'arrêta.

"Bien?" » dit Tozer.

"Je t'ai promis d'arrêter de… euh… de tromper les filles."

"Cela signifie, j'imagine, que vous l'avez fait."

"Pas exactement, et pourtant——"

"Continue."

Bobby a expliqué.

"Eh bien," dit Tozer, "je te pardonne. C'était une bonne intention gâchée par l'atavisme. Tu es revenu à ton ancien moi pendant un moment, comme ton oncle Simon. Sais-tu, Bobby, je crois que cette maladie de ton oncle est plus répandue qu'on pourrait l'imaginer - quoique bien sûr sous une forme moins aiguë. Nous revenons tous toujours à notre ancien moi, par à-coups - et payons pour le retour. Vous voyez ce que vous avez fait aujourd'hui. Votre oncle Simon n'a rien fait de plus stupide, vous vous êtes tous les deux retrouvés comme avant.

"Seigneur, ce vieil homme ! Toute l'expérience et la sagesse du monde ne l'empêchent pas, me semble-t-il, de revenir lorsqu'il veut revenir. Eh bien, vous l'avez fait, et lorsque vous écrivez votre histoire, vous pouvez mettre entrez-vous ainsi que votre oncle, et appelez le tout « un horrible avertissement ». Bonne nuit."

CHAPITRE III
LE BILLET DE CENT LIVRES

L'oncle Simon se réveilla rongé par la soif, mais sans mal de tête ; une bonne constitution et des années de vie régulière lui avaient donné un large équilibre sur lequel puiser.

Mudd était dans la pièce en train d'arranger les choses ; il venait de baisser le store.

"Qui c'est?" demanda Simon.

"Mudd", répondit l'autre.

L'ensemble de Mudd en tant que domestique d'un nouveau genre semblait plaire à Simon, et il l'accepta immédiatement comme il acceptait tout ce qui lui plaisait.

"Donnez-moi cette bouteille d'eau", dit Simon.

Mudd l'a donné. Simon l'a vidé à moitié et l'a rendu. La potion semblait agir sur lui comme l'élixir vitæ .

"Que fais-tu avec ces vêtements?" a-t-il dit.

"Oh, je les plie simplement", a déclaré Mudd.

"Eh bien, laissez-les tranquilles", répondit l'autre. "Y a-t-il de l'argent dans les poches ?"

"Ce n'est pas ce que vous portiez la nuit dernière", a déclaré Mudd ; "Il y avait deux livres dix dans les poches de ce que vous portiez. Le voici, sur la cheminée."

"Bien", dit Simon.

"Avez-vous encore de l'argent quelque part ?" » demanda Mudd.

Maintenant Simon, dépensier devant le plaisir et insouciant de l'argent comme le vent, devant Mudd semblait prudent et un peu méfiant. C'était comme si son esprit subliminal reconnaissait chez Mudd la retenue, la tutelle et le bon sens.

"Pas un demi-penny", dit-il. "Donnez-moi ces deux livres dix."

Mudd, alarmé par la vigueur de l'autre, déposa l'argent sur la petite table près du lit.

Simon fut aussitôt apaisé.

"Maintenant, donne-moi des vêtements", dit-il. Il semblait avoir accepté Mudd maintenant comme serviteur personnel – engagé quand ? Dieu sait quand ; des détails comme ceux-là n'étaient rien pour Simon.

Mudd, émerveillé et attristé, sortit un costume de serge bleue, une cravate bleue, une chemise et d'autres objets en soie. Il y avait une salle de bain à côté de la chambre et, les choses éteintes, Simon se leva et entra dans la salle de bain, et Mudd, s'asseyant sur une chaise, l'écouta baigner et éclabousser - sifflant aussi, visiblement dans l'esprit le plus gai. , esprits annonçant une autre journée parfaite.

"Conduisez-le", avait dit Oppenshaw . Eh bien, Mudd était déjà dirigé. Il y avait quelque chose chez Simon, malgré son irresponsabilité et sa bonne humeur , qui ne supporterait pas un licol même si celui-ci était en soie. Mudd l' a reconnu . Et l'argent ! Qu'était devenu l'argent ? Le portemanteau verrouillé le contenait peut-être, mais où était la clé ?

Mudd ne savait même pas si son malheureux maître l'avait reconnu ou non, et il n'osait pas le demander, craignant des complications. Mais il savait que Simon l'avait accepté comme serviteur, et que cette connaissance devait suffire.

Si Simon l'avait refusé et l'avait mis à la porte, cela aurait été une véritable tragédie.

Simon, rentrant dans la chambre, serviette de bain à la main, commença à s'habiller, Mudd lui tendant des objets que Simon prit comme s'il ignorait à moitié la présence de l'autre. Il semblait engagé dans une sorte de réflexion joyeuse.

Habillé et élégant, mais pas rasé, même s'il ne le montrait guère, Simon prit les deux livres dix et les mit dans sa poche, puis il regarda Mudd. Son expression avait quelque peu changé ; il semblait résoudre un problème dans son esprit.

« Cela suffira », dit-il ; "Je n'aurai plus besoin de toi pendant quelques minutes. Je veux arranger les choses. Tu peux descendre et revenir dans quelques minutes."

Mudd hésita. Ensuite il est allé.

Il entendit Simon verrouiller la porte. Il entra dans un couloir voisin et se promena de long en large en priant bêtement pour que M. Robert vienne, confus, agité, étonné... Supposons que Simon veuille être seul pour lui trancher la gorge ! L'horreur de cette pensée fut dissipée par le souvenir qu'il n'y avait pas de rasoirs ; aussi par la gaieté rappelée de l'autre. Mais pourquoi voulait-il être seul ?

Deux minutes s'écoulèrent, trois, cinq, puis l'intrigué, se dirigeant vers la porte fermée, tourna la poignée. La porte était ouverte et Simon, debout au milieu de la pièce, était redevenu lui-même.

"J'ai un message que je veux que vous preniez", a déclaré Simon.

Dix minutes plus tard, M. Robert Ravenshaw, entrant dans l'hôtel Charing Cross, trouva Mudd avec son chapeau, qui l'attendait.

« Dieu merci, vous êtes venu, M. Robert ! » dit Mudd.

"Qu'est-ce qu'il y a maintenant ?" » demanda Bobby. "Où est-il?"

"Il prend son petit-déjeuner", a déclaré Mudd.

"Eh bien, c'est raisonnable, de toute façon. Rassure-toi, Mudd ; eh bien, tu as l'air d'avoir avalé un enterrement."

"C'est l'argent", a déclaré Mudd. Puis il a éclaté: " Il m'a dit de sortir de la pièce et de revenir dans une minute . Je suis sorti et il a verrouillé la porte. Je suis revenu; il était là debout. "Mudd", dit-il, "je" J'ai un message à transmettre. Je veux que vous apportiez un bouquet de fleurs à une dame. Moi!"

"Oui?" dit Bobby.

"À une dame !"

"'Où sont les fleurs ?' " Dis-je, souhaitant l'éloigner. " Vous devez aller les acheter ", dit-il. " Je n'ai pas d'argent ", dis-je, souhaitant l'éloigner. " Pendez l'argent ! " dit-il, et il met la main dans sa poche et en sort un billet de cent livres et un billet de dix livres. Et il n'avait que deux livres dix quand je l'ai quitté. Il a l'argent dans ce portemanteau, que je' Je suis sûr, et il m'a fait sortir de la pièce pour le récupérer.

"Évidemment", a déclaré Bobby.

« Voici dix livres, dit-il ; procurez-vous le meilleur bouquet de fleurs que l'argent puisse acheter et dites à la dame que je viendrai la voir plus tard dans la journée. »

"'Quelle dame ?' dis-je, voulant l'éloigner.

"'Voici l'adresse', dit-il, et il se dirige vers la table à écrire et l'écrit."

Il tendit à Bobby une feuille du journal de l'hôtel. Il y avait dessus l'écriture de Simon, ainsi qu'un nom et une adresse fournis par sa mémoire qui s'accrochait avec tant de ténacité à tout ce qui était agréable.

"Mlle Rossignol, 10, Duke Street, Leicester Square."

Bobby siffla.

"Ai-je déjà rêvé de voir ce jour ?" pleura Mudd. "Moi ! Envoyé un message comme ça, par *lui* !"

"C'est une complication", a déclaré Bobby. « Je dis, Mudd, il a dû être occupé hier… sur *mon* âme… »

« La question est : que dois-je faire ? dit Mudd. "Je ne vais pas apporter de fleurs aux filles."

Bobby réfléchit profondément pendant un moment.

"Est-ce qu'il t'a reconnu ce matin ?" Il a demandé.

"Je ne sais pas", a déclaré Mudd, "mais il n'a pas fait d'os. Je ne crois pas qu'il se souvienne bien de moi, mais il n'a pas fait d'os."

"Eh bien, Mudd, tu ferais mieux d'avaler tes sentiments et de prendre ces fleurs, car si tu ne le fais pas et qu'il le découvre, il pourrait te virer. Où serions-nous alors ? De plus, il faut se laisser tromper , donc le le docteur a dit, n'est-ce pas ?

« Dois-je immédiatement appeler le médecin, monsieur ? » demanda Mudd, s'accrochant à un espoir désespéré.

« Le médecin ne peut pas l'empêcher de s'en prendre aux filles, » dit Bobby, « à moins que le médecin ne puisse l'enfermer dans un asile d'aliénés ; et il ne peut pas, n'est-ce pas, puisqu'il dit qu'il n'est pas fou ? insulte, et la chose serait sûre de couler. Non, Mudd, ravale juste tes sentiments et pars au trot chercher ces fleurs, et, en attendant, je ferai ce que je peux pour distraire son esprit. Et vois ici, Mudd, tu verras peut-être à quoi ressemble cette fille.

"Dois-je lui dire qu'il est fou et que peut-être qu'elle sera punie par la loi si elle continue à le tromper ?" suggéra Mudd.

"Non", dit Bobby, plus sage du monde; "Si elle n'est pas du genre, cela ne ferait que la rendre plus enthousiaste . Elle se dirait : "Voici un vieux type bizarre qui a de l'argent, à moitié vide et sans contrainte ; faisons du foin avant qu'ils ne l'enferment." Si elle est du bon type, cela n'a pas d'importance ; il est en sécurité, et, du bon ou du mauvais type, s'il découvre que vous êtes intervenu, il pourrait vous envoyer s'occuper de vos affaires. Non, Mudd, il n'y a rien d'autre à faire que d'obtenir le des fleurs et déposez-les, et voyez la dame si possible, et prenez des notes à son sujet. Dites le moins possible.

"Il m'a dit de lui dire qu'il appellerait plus tard dans la journée."

"Laissez-moi faire", dit Bobby. "Et maintenant, va-t'en."

CHAPITRE IV
LE BILLET DE CENT LIVRES— *suite*

Mudd partit et Bobby se dirigea vers le café.

Il entra et regarda autour de lui. Un bon nombre de personnes prenaient leur petit-déjeuner dans la grande salle, la foule ordinaire du petit-déjeuner anglais dans un grand hôtel ; des fêtes de famille, des hommes et des femmes seuls, certains lisant des lettres, des journaux, et tout cela, d'une manière ou d'une autre, avec un air de divorce de la maison.

Simon était là, assis à une petite table à droite, et s'amusait. Maintenant, et dans son bon sens, Simon a donné un autre choc à Bobby. Serait-il possible que ce monsieur au visage agréable et à l'air jovial, si bien habillé et *à la mode* , soit l'oncle Simon ? Quelle amélioration ! C'est ce qu'il semblait à première vue.

Simon leva les yeux de ses saucisses – il mangeait des saucisses, il a vu Bobby – et avec sa mémoire infaillible de choses agréables, même vaguement vues, il le reconnut comme l'homme de la nuit dernière.

"Bonjour," dit Simon, tandis que l'autre s'approchait de la table, "vous voilà de nouveau. Vous avez déjeuné ?"

"Non," dit Bobby. "Je vais m'asseoir ici si je peux." Il tira une chaise vers la deuxième place qui était posée et s'assit.

"Prenez des saucisses", dit Simon. "Rien ne vaut les saucisses."

Bobby a commandé des saucisses, même s'il aurait préféré autre chose. Il ne voulait pas discuter.

"Rien ne vaut les saucisses", répéta oncle Simon.

Bobby était d'accord.

Alors la conversation s'alanguissait, comme elle peut l'être entre deux vieux amis ou de bons compagnons qui n'ont plus besoin de bavarder.

"Tu te sens bien ce matin ?" osa Bobby.

"Je ne me suis jamais senti aussi bien de ma vie", répondit l'autre. "Je ne me suis jamais senti aussi bien de ma vie. Comment as-tu fait pour rentrer à la maison ?"

"Oh, je suis bien rentré à la maison."

Simon parut à peine entendre cette déclaration réconfortante ; des œufs brouillés avaient été déposés devant lui.

Bobby, en réfléchissant soudain à un mois de ce business, a presque oublié ses saucisses. La véritable horreur de l'oncle Simon lui apparut pour la première fois. Vous voyez, il connaissait tous les faits de l'affaire. Une personne ordinaire, sans le savoir, aurait accepté Simon comme étant normal, mais il semblait maintenant à Bobby qu'il aurait été bien mieux si son compagnon avait été décemment et honnêtement fou, moins étrange. Il était visiblement sain d'esprit, bien qu'un peu détaché des choses ; visiblement sain d'esprit, et mangeant des œufs brouillés après des saucisses avec l'abandon d'un écolier en vacances après un long séjour dans une école bon marché ; sain d'esprit et s'amusant après une nuit comme celle-là – et pourtant il était Simon Pettigrew.

Puis il remarqua que les yeux de Simon voyageaient constamment, malgré les œufs brouillés, dans une direction donnée. Une jolie jeune fille déjeunait avec une fête de famille un peu plus loin – c'était la direction.

Il y avait une mère, un père, quelque chose qui ressemblait à un oncle, ce qui semblait être une tante et ce qui semblait être May vêtue d'un chemisier en soie lavée et d'une jupe unie.

Novembre faisait penser à mai.

Bobby se souvint de Miss Rossignol et se sentit un peu réconforté ; puis il commença à se sentir mal à l'aise : la tante regardait fixement Simon. Son admiration avait évidemment été remarquée par Watchfulness ; alors l'oncle parut s'en apercevoir.

Bobby, rougissant, essaya d'engager la conversation et n'obtint que des réponses. Puis, à son grand soulagement, la famille, ayant fini de déjeuner, se retira, et Simon redevint lui-même, joyeux et brûlant des plaisirs de la journée qui l'attendait, des plaisirs qu'on pouvait tirer de Londres, de l'argent et de la jeunesse.

Sa conversation disait ceci, et qu'il désirait inclure Bobby dans le schéma des choses, et le jeune homme ne pouvait s'empêcher de se rappeler la petite histoire de Thackeray selon laquelle, arrivant à Londres, il rencontra un jeune homme d'Oxford dans le wagon, un jeune homme. un homme à moitié ivre avec la perspective d'une journée en ville et d'une « tournée des larmes » – avec la perspective, rien de plus.

"Qu'allez-vous faire maintenant?" » demanda Bobby tandis que l'autre se levait de table.

"Rasé", dit Simon; "Viens te raser, je ne peux pas faire ça."

Bobby était déjà rasé, mais il a suivi l'autre dehors chez un barbier et s'est assis en train de lire un *Daily Mirror* et d'attendre que Simon soit opéré. Celui-ci, après avoir été rasé, avait les cheveux brossés et coupés, et pendant tout ce temps le barbier parlait ainsi, Simon transformant le monologue en duologue.

"Oui, monsieur, il fait un temps magnifique, n'est-ce pas ? Londres est également assez pleine à cette période de l'année, plus pleine que ce que j'ai vu depuis longtemps. Avez-vous déjà essayé un massage du visage, monsieur ? Très réconfortant. Peut être appliqué par Vous-même. Je peux vous vendre une tenue complète, la crème pour le visage Parker et tout, deux livres dix. Merci, monsieur. Vous restez au Charing Cross ' Otel ? Je le ferai envoyer dans votre chambre. Oui, monsieur, l'' otel est plein. Il y a beaucoup d'argent dépensé à Londres, monsieur. Levez le menton, monsieur, un peu plus . Avez-vous déjà essayé un rasoir Gillette, monsieur ? Utile si vous souhaitez vous raser rapidement ; beau plaqué. C'est celui-ci, Monsieur, une Guinée brille comme de l'argent, n'est-ce pas ? Merci, monsieur, je vais l'envoyer avec l'autre. Oui, monsieur, c'est plus pratique d' avoir un coiffeur près de l' hôtel . Je fournis la plupart des les gens de l'hôtel avec des toilettes rekisites . L'air est un peu mince sur le dessus, monsieur ; cela ne voulait pas dire aucune offense, monsieur, peut-être que c'est la lumière. Sec, c'est ce qu'il est ; c'est le " mauvais temps ". Maintenant, je " Je recommande la lotion Coolers' suivie après application par Goulard's Brillantine . Oh, Seigneur, non, monsieur ! *Eux* les brillantines ne servent à rien. Celui de Goulard est le seul réel ; coûte un peu plus cher, mais la brillantine bon marché est gagnante. Merci Monsieur. Et comment allez-vous pour les aérographes, monsieur ? Il y a quelques bonnes affaires dans cette vitrine, des échantillons de voyageurs , que je peux vous laisser en argent, aussi bonnes que celles que vous obtiendrez à Londres et à un prix raisonnable . Brillent, n'est-ce pas ? Et sentez les poils, de vrais ' og . Merci Monsieur. Deux dix – un un – un quatre – deux dix – et un shillin pour la coupe à l'air libre et le rasage. Non, monsieur, je ne peux pas changer un billet de cent livres . Un dix ? Oui, je peux gérer un dix. Merci Monsieur."

Sept livres et six pence pour une coupe de cheveux et un rasage – avec accompagnements. Bobby, bouche bée et consterné, se leva.

"'Air coupé, monsieur?" demanda le coiffeur.

"Non, merci", répondit Bobby.

Simon, s'étant regardé dans la glace, ramassa son chapeau de paille et sa canne, et prenant le bras de son compagnon, ils sortirent.

"Où vas-tu?" » demanda Bobby.

"N'importe où", répondit l'autre; "Je veux avoir de la monnaie."

"Eh bien, tu as de la monnaie !"

Simon détacha les liens et, face au Strand et aux passants, sortit de sa poche deux billets de cent livres, trois ou quatre billets d'une livre et un billet de dix livres ; En fouillant dans ses poches pour voir quel or il avait, il laissa tomber un billet de cent livres, que Bobby récupéra rapidement.

"Esprit!" dit Bobby. « Ces notes vous seront arrachées. »

"Tout va bien", dit Simon.

Il remit l'argent dans sa poche et son compagnon respira à nouveau.

Bobby avait emprunté cinq livres à Tozer compte tenu des possibilités.

" Écoutez, " dit-il, " à quoi ça sert de rester à Londres un jour glorieux comme celui-ci ? Allons dans un endroit calme et amusons-nous - Richmond ou Greenwich ou ailleurs. Je paierai les dépenses et vous n'aurez pas à vous soucier de la monnaie. "

"Non, tu ne le feras pas", dit Simon. "Tu vas t'amuser avec moi. Qu'est-ce qu'il y a à Londres ?"

Bobby ne pouvait pas le dire.

Renonçant à l'idée de campagne, sans autre idée pour la remplacer que de maintenir sa compagne à pied et à l'écart des magasins, des bars et des filles, il se laissa conduire. Ils revenaient vers Charing Cross. Simon entra au *Bureau de Change , l'idée de changer un billet de cent livres le poursuivant*. Il voulait avoir les coudées franches pour s'amuser, mais le Bureau a refusé d'apporter des changements. La note était correcte ; c'était peut-être Simon qui était la quantité douteuse. Il eut une petite dispute à ce sujet et sortit bras dessus bras dessous avec son compagnon et rougit.

"Viens," dit Bobby, une nouvelle idée le frappant. "Nous trouverons de la monnaie quelque part."

De Charing Cross, en passant par Cockspur Street, puis par Pall Mall et remontant St. James's Street, ils s'arrêtèrent à tous les endroits probables et improbables pour trouver du changement. Ainsi engagé, Simon, au moins, ne dépensait pas d'argent et ne prenait pas de rafraîchissements. Ils essayèrent dans les bureaux d'expédition, dans les bureaux d'assurance, chez les armureries et chez les tailleurs, jusqu'à ce que Bobby, fatigué, commence à détester ce métier, commence à sentir que lui et son compagnon étaient soupçonnés et presque que leurs affaires étaient douteuses.

Simon, cependant, semblait le poursuivre avec entrain et, désormais, sans colère. Il semblait à Bobby qu'il appréciait d'être refusé, car cela lui donnait une autre chance d'entrer dans un autre magasin et de montrer qu'il avait un billet de cent livres à changer – une horrible satisfaction insensée qui donnait un nouvel aspect à l'affaire. Simon était chic.

"Ecoute," dit enfin le malheureux, "n'y avait-il pas une fille dont tu m'as parlé hier soir à qui tu voulais envoyer des fleurs ? Allons les chercher, puis on pourra boire un verre quelque part."

"Elle attendra", dit Simon. "En plus, je les ai envoyés. Allez."

"Très bien", dit Bobby, désespéré. "Je crois connaître un endroit où vous pouvez faire changer votre note ; c'est à proximité."

Ils arrivèrent chez un marchand de cigares . Ce sont les marchands de cigares et les prêteurs sur gages qui lui ont souvent été d'une grande utilité. "Attendez-moi", dit Bobby, et il entra. Derrière le comptoir se trouvait un monsieur rappelant le prince Florizel de Bohême.

"Bonjour, M. Ravenshaw", a déclaré cet individu.

"Bonjour, Alvarez", répondit Bobby. " Mais je ne vous ai pas appelé au sujet du petit compte que je vous dois, mais rassurez-vous. Je vous ai un nouveau client. Il veut qu'une note soit modifiée. "

"Quel genre de note ?" demanda Alvarez.

« Un billet de cent livres ; pouvez -vous le faire ? »

"Si la note est bonne."

" Seigneur, bénis-moi, oui ! Je peux en garantir ainsi que lui ; seulement il est étranger à Londres. Il a aussi beaucoup d'argent, mais vous devez promettre de ne pas trop lui faire de mal avec les cigares, car c'est un de mes parents. "

"Où est-il?" demanda Alvarez.

"Dehors."

"Eh bien, amène-le."

Bobby est sorti. Oncle Simon était parti. Parti comme s'il ne l'avait jamais été, englouti dans la foule qui passait, fasciné par on ne sait quoi, et avec tous ces billets de banque en poche. Il aurait pu monter brusquement dans un taxi, monter à bord d'un omnibus, ou disparaître dans Sackville Street ou Albemarle Street ; n'importe quelle fantaisie passagère ou tentation soudaine aurait suffi.

Bobby, se précipitant vers St. James's Street pour y jeter un œil, arrêta un policier.

« Avez-vous vu un vieux monsieur – je veux dire un monsieur d'apparence plutôt jeune – avec un chapeau de paille ? » demanda Bobby. "Je l'ai perdu." N'attendant guère l'inévitable réponse, il se hâta, sentant que le connétable devait le prendre pour fou.

La rue Saint-James ne montrait rien de Simon. Il faisait demi-tour quand, à moitié aveugle à tout sauf à l'objet de sa recherche, il faillit se jeter dans les bras de Julia Delyse . Elle portait un colis qui ressemblait à un manuscrit.

"Pourquoi, Bobby, qu'est-ce que tu as ?" demanda Julia.

"Je cherche quelqu'un", dit distraitement Bobby. "J'ai perdu un de mes proches."

"J'aurais aimé que ce soit l'un des miens", a déclaré Julia. "Quel genre de parent ?"

" Un vieil homme avec un chapeau de paille. Descendez un peu ; regardez de ce côté-là de la rue et je surveillerai ça ; il est *peut*- être entré dans un magasin... et il *faut que je* le rattrape. "

Il marcha rapidement, et Julia, aspirée un instant dans ce tourbillon d'oncle Simon qui avait déjà englouti Mudd, Bobby et la bonne réputation de la maison Pettigrew, travailla à ses côtés jusqu'à ce qu'ils arrivent presque aux grilles du parc .

"Il est parti", dit Bobby, s'arrêtant brusquement. "Cela ne sert à rien, il est parti."

"Eh bien, vous le retrouverez", dit Julia avec espoir. "Les proches viennent toujours."

"Oh, il va sûrement arriver", dit l'autre, "et c'est ce que je redoute, c'est la façon dont il va arriver qui me dérange."

"Je pourrais mieux te comprendre si je savais ce que tu voulais dire", dit Julia. « Revenons en arrière ; ce n'est pas dans ma direction. »

Ils se tournèrent.

Malgré sa perplexité et son agacement, Bobby ne put réprimer un instant un sentiment de soulagement d'en avoir terminé avec cette affaire ; il était quand même vraiment affligé. Le besoin de conseil et de compagnie dans la pensée le saisit.

"Julia, peux-tu garder un secret ?" lui demanda-t-il.

"Serré", dit Julia.

"Eh bien, c'est mon oncle."

"Tu as perdu?"

— Oui ; et il a les poches pleines de billets de cent livres, et on ne peut pas plus lui confier ces billets qu'un enfant.

"Quel charmant oncle !"

"Ne riez pas, c'est sérieux."

"Il n'est pas fou, n'est-ce pas ?"

"Non, c'est le pire. Il souffre d'une de ces nouvelles maladies bestiales - je ne sais pas ce que c'est, mais d'après ce que je peux comprendre, c'est comme s'il était redevenu jeune sans se souvenir de ce qu'il est. "

"Comme c'est intéressant !"

"Oui, tu le trouverais très intéressant si tu avais quelque chose à voir avec lui ; mais, sérieusement, il faut faire quelque chose. Il y a le nom de famille et il y a ses affaires." Il expliqua le cas de Simon du mieux qu'il put.

Julia ne parut pas du tout choquée.

"Mais je pense que c'est beau", a-t-elle éclaté. "Étrange, mais d'une certaine manière, beau et pathétique. Oh, si *seulement* quelques personnes de plus pouvaient faire la même chose : devenir jeunes, faire des choses stupides au lieu de cette éternelle corvée de bon sens, de dures affaires et de tout ce qui ruine le monde !"

Bobby a essayé d'imaginer un monde avec une population accrue de la marque de l'oncle Simon, mais il a échoué.

"Je sais", a-t-il déclaré, "mais cela ruinera son entreprise et sa réputation. Abstraitement, je ne nie pas qu'il y ait quelque chose à dire, mais dans le concret, cela ne fonctionne pas. Pensez-y, et essayons de trouver une issue. »

"Je réfléchis", dit Julia.

Puis, après une pause :

"Vous devez l'éloigner de Londres."

"C'était mon idée, mais il n'ira pas, même pas à Richmond pendant quelques heures. Il ne quittera pas Londres."

"Je connais un endroit dans le Wessex", dit Julia, "où il y a un charmant petit hôtel. J'y ai passé une semaine en mai. Vous pourriez l'y emmener."

"Nous ne le ferions jamais monter dans le train."

"Emmenez-le dans une voiture."

"Ça pourrait faire ça", dit Bobby. "Comment s'appelle-t-il ?"

"Upton-on-Hill ; et je vais vous dire quoi, je descendrai avec vous, si vous le souhaitez, et j'aiderai à le surveiller. J'aimerais l'étudier."

"J'y penserai", dit précipitamment Bobby. L'affaire de l'oncle Simon prenait une tournure nouvelle ; comme le Destin, il essayait de le forcer à entrer en contact plus étroit avec Julia. Envie de quelqu'un pour l'aider à réfléchir, il s'était soudé à Julia avec ce secret de famille à souder. L'idée d'un petit hôtel à la campagne avec Julia, toujours prête pour des embrassades et des scènes passionnées, le fait de savoir qu'il était presque à moitié fiancé avec elle, l'instinct qu'elle l'entraînerait dans des coins douillets et des tonnelles , tout cela lui faisait franchement peur. . Il commençait à reconnaître que Julia était plutôt légère et presque brillante dans la rue quand faire l'amour était impossible, mais incroyablement lourde et ennuyeuse, quoique hypnotique, lorsqu'elle était seule avec lui, la tête sur son épaule. Et au loin, au loin de son esprit, une sorte de bon sens déformé lui disait que si une fois Julia s'emparait de lui, elle l'épouserait ; il passait de tourbillon en tourbillon de coin douillet et de tonnelle au-dessus des rapides du mariage avec Julia accrochée à lui.

"J'y penserai", dit-il. "Quel est son nom?"

"Le Rose Hotel, Upton-on-Hill, pensez à Upton Sinclair. C'est un petit endroit joyeux, et un propriétaire si sympathique ; nous passerions un moment joyeux, Bobby. Bobby, as-tu oublié hier ?"

"Non," dit Bobby du fond du cœur.

"Je n'ai pas dormi un clin d'œil la nuit dernière", a déclaré la dame aux cheveux roux. "As-tu?"

"À peine."

" Savez-vous, " dit-elle, " c'est presque comme le Destin. Cela nous donne une chance de nous rencontrer sous le même toit, puisque votre oncle est là - même si je me soucie un peu du monde, mais quand même, il y a les convenances, n'est-ce pas ?

"Il y a."

"Attends-moi", dit-elle. "Je veux aller chez mes éditeurs avec ce manuscrit."

Ils étaient arrivés devant un bureau d'éditeur à la mode qui ressemblait à un local bancaire. Elle y entra et revint aussitôt les mains vides.

« Maintenant, je suis libre », dit-elle ; "gratuit pendant un mois. Que fais-tu aujourd'hui ?"

"Je vais chercher oncle Simon", répondit-il. "Je dois retourner précipitamment à l'hôtel Charing Cross, et après cela... je dois continuer à chasser. Je te verrai demain, Julia."

« Vous séjournez au Charing Cross ? »

"Non, je vis au B12 , l'Albany, avec un homme appelé Tozer."

"J'aurais aimé que nous puissions passer la journée ensemble. Eh bien, demain, alors."

"Demain", dit Bobby.

Il la fit monter dans un taxi et elle lui donna l'adresse d'un club littéraire féminin, puis, une fois le taxi reparti, il retourna à l'hôtel Charing Cross.

Là, il trouva Mudd, qui venait de rentrer.

CHAPITRE V
LA MAISON DES Rossignols

Mudd, avec le billet de dix livres et l'adresse écrite, était parti ce matin-là avec l'intention de faire également une autre course. Il prit d'abord un taxi jusqu'à King Charles Street. Ce fut un soulagement de le trouver là et de savoir que la maison n'avait pas été incendiée pendant la nuit. Le feu était l'une des craintes obsédantes de Mudd : le feu et la peur d'une maîtresse. Il avait fait suspendre des bombes extinctrices dans chaque passage, ainsi que des extincteurs rouges en forme de cône. S'il avait pu avoir des bombes pour éteindre les flammes de l'amour et éloigner les femmes, il les aurait sans doute eues.

Mme Jukes le reçut et il lui demanda si la plaque avait été fermée à clé. Puis il visita sa propre chambre et examina son livret de banque pour voir s'il était en sécurité et intact ; puis il but un verre de vin de gingembre pour le bien de son estomac.

"Où vas-tu maintenant?" » a demandé Mme Jukes.

"Pour affaires pour le maître", répondit Mudd. " J'ai quelques papiers de droit à apporter à une adresse. Seigneur ! regarde ces cuivres ! Les filles n'ont-elles pas pas de mains ? L'endroit va s'effondrer si je le laisse deux minutes instantanées . Et regarde cette aile - bien sûr que tu mis la chaîne sur la porte du hall hier soir ? »

"Bien sûr."

"Eh bien, assurez-vous de le faire, car il y a un autre type de Jack l'éventreur qui se promène dans le West End, j'ai entendu dire, et il pourrait être sur vous si vous ne le faites pas."

Après avoir effrayé Mme Jukes en lui faisant comprendre qu'il fallait des chaînes ainsi que des verrous, Mudd a mis son chapeau, s'est mouché et est parti, frappant la porte derrière lui et s'assurant qu'elle était fermée.

Il y a un magasin de fleurs dans la rue au bout de la rue King Charles. Il entra, acheta son bouquet et, le tenant à la main, quitta l'établissement. Il cherchait un taxi dans lequel se cacher ; il n'en trouva pas, mais il rencontra un collègue majordome, l'homme du juge Ponsonby.

"Bonjour, M. Mudd", dit l'autre ; "Tu fais la cour ?"

"Mme Jukes m'a demandé de les emmener chez une amie qui va se marier", a déclaré Mudd.

Le bouquet n'était pas extraordinairement grand, mais il semblait s'agrandir.

Condamné à prendre un omnibus au lieu d'un fiacre, il semblait remplir l'omnibus ; les gens l'ont regardé, puis Mudd. Il lui semblait qu'il était condamné à mettre à nu la folie de Simon à la face du monde. Puis il se souvint de ce qu'il avait dit à propos du mariage du destinataire. Était-ce un présage ?

Mudd croyait aux présages. Si son coude le démangeait – et cela l'avait démangeé hier – il allait dormir dans un lit étranger ; il n'a jamais tué d'araignées et il a testé les "étrangers" dans la tasse de thé pour voir s'ils étaient des mâles ou des femelles.

Le présage le chevauchait maintenant, et il descendit de l'omnibus et chercha la rue de sa destination, se sentant presque comme s'il était une fantastique demoiselle d'honneur lors d'un mariage cauchemardesque, avec Simon dans le rôle du marié.

L'idée que Simon devait se choisir une épouse dans cette rue sombre de Leicester Square et dans cette maison à l'aspect terne à la porte de laquelle il frappait, ne vint pas à l'esprit de Mudd. Ce qui lui vint à l'esprit, c'est qu'une coquine vivant dans cette maison avait jeté son sort sur Simon et pourrait le choisir pour mari, l'épouser dans un bureau d'état civil avant le départ de sa jeunesse temporaire et venir régner à Charles Street.

La redoutable maîtresse imaginaire de Mudd avait toujours représenté dans son esprit une grosse dame – éminemment une dame – qui interférerait avec ses idées sur la façon dont les cuivres devraient être polis, interférerait avec les commerçants, donnerait des ordres à Mudd et se rendrait généralement une nuisance ; cette nouvelle horreur imaginaire était une « salope peinte », qui attirerait le ridicule et la honte sur Simon et sur tout ce qui lui appartenait.

Mudd avait les bons sentiments d'une vieille fille sur des questions comme celle-ci, soutenus par une excellente connaissance de ce dont les hommes âgés sont capables en matière de folie avec les femmes.

Le juge Thurlow n'a-t-il pas épousé sa cuisinière ?

Il sonna à la porte crasseuse du hall et elle fut ouverte par une petite fille crasseuse vêtue d'une robe imprimée.

« Est-ce que Miss Rosinol habite ici ? » demanda Mudd.

" Oui ."

"Puis-je la voir?"

"Attends un peu ", dit le crasseux. Elle monta les escaliers en fracas ; elle semblait porter des bottes cloutées, à en juger par le bruit. Une minute s'écoula, puis elle retomba avec fracas.

"Entrez, plaaze ", dit la petite fille.

Mudd obéit et le suivit à l'étage, s'accrochant à la rampe tremblante de la main gauche, portant le bouquet dans sa droite, se sentant comme un homme vicieux montant les escaliers dans un rêve ; je ne me sens plus comme Mudd.

La petite fille ouvrit une porte, et voici la « coquine peinte », la vieille Madame Rossignol assise à une table avec des livres ouverts devant elle et écrivant.

Elle traduisait, comme je l'ai déjà dit, des livres anglais en français, principalement des romans.

Le bouquet de la nuit dernière était brisé ; il y avait des fleurs dans les vases et dans la pièce ; malgré son état délabré, il régnait une atmosphère de propreté et de haute décence qui apaisait l'âme frappée de Mudd.

"Je suis l'homme de M. Pettigrew", a déclaré Mudd, "et il m'a demandé de vous apporter ces fleurs."

"Ah, monsieur Seemon Pattigrew , " cria la vieille dame, son visage s'éclairant. " Entrez, monsieur. Cerise !— Cerise !—un gentilmon de M. Pattigrew . Ne voulez-vous pas vous asseoir, monsieur ?

Mudd, remettant les fleurs, s'assit, et à ce moment entra Cerise de la chambre voisine. Cerise, fraîche et délicate, avec de grands yeux bleus qui contemplaient Mudd et les fleurs, qui semblaient contempler à la fois tout le printemps et l'été.

"Pauvre, mais convenable", se dit Mudd.

"Monsieur," dit la vieille dame, tandis que Cerise courait chercher un bol pour y mettre les fleurs, "vous êtes chez nous aussi bienvenu que votre bon et aimable maître qui a sauvé ma fille hier. Voulez-vous lui transmettre nos plus profonds respects et nos remerciements ? »

"L'a sauvée?" dit Mudd.

Madame a expliqué. Cerise, arrangeant les fleurs, se joignit à elle ; ils devinrent enthousiastes. Jamais on n'avait autant bavardé avec Mudd auparavant. Il a vu toute l'affaire et a deviné la situation actuelle du terrain. Il se sentit profondément soulagé. Madame lui inspirait une confiance instinctive ; Cerise, dans sa jeunesse et son innocence, repoussait toute idée de mariage entre elle et Simon. Mais il fallait les avertir, d'une manière ou d'une autre, que Simon n'était pas sur place. Il commença l'avertissement assis devant les femmes et se frottant doucement les genoux, ses yeux errant comme s'il cherchait l'inspiration dans les meubles.

M. Pettigrew était un très bon maître, mais il fallait prendre soin de lui ; sa santé n'était pas ce qu'elle pourrait être. Il était plus âgé qu'il n'en avait l'air, mais dernièrement, il avait souffert d'une maladie qui l'avait fait rajeunir subitement, pour ainsi dire ; les médecins ne parvenaient pas à le comprendre, mais il ressemblait parfois à un enfant, comme on pourrait dire.

"Je l'ai dit", coupa Madame. "Un garçon, c'est son charme."

Eh bien, Mudd ne connaissait rien aux charmes, mais il était souvent très inquiet au sujet de M. Pettigrew. Puis, peu à peu, la confiance que lui inspiraient les femmes lui ouvrit les vannes et ses émotions refoulées ressortirent.

Londres n'était pas bonne pour la santé de M. Pettigrew, c'était la vérité ; il aurait dû s'enfuir tranquillement et par excitation (des heurtoirs se sont élevés devant lui à ce moment-là) mais il était très volontaire. C'était étrange qu'un gentleman redevienne ainsi jeune, et c'était une grande perplexité et un grand trouble pour un vieil homme comme lui, Mudd.

- Ah ! monsieur, il a toujours été jeune, dit Madame ; "ce cœur ne pourrait jamais vieillir."

Mudd secoua la tête.

"Je le connais depuis quarante ans ", dit-il, "et cela m'a cruellement frappé, le fait qu'il fasse des choses qu'il n'a jamais faites auparavant - pas grand-chose; mais voilà, il est différent."

" J'ai connu un vieux monsieur, dit Madame. " Monsieur de Mirabole ... lui aussi est devenu tout gai et tout jeune, comme si le printemps était venu. Il m'a écrit des vers, " dit Madame en riant. "Moi, une vieille femme ! Je lui ai fait plaisir , n'est-ce pas, Cerise ? Mais je n'ai jamais lu ses vers ; je ne pouvais pas lui faire plaisir à ce point."

"Que lui est-il arrivé?" » demanda sombrement Mudd.

"Oh mon Dieu, il est tombé amoureux de Cerise", dit Madame. — Il était très riche ; il voulait épouser Cerise, n'est-ce pas, Cerise ?

" Oui , maman ", répondit Cerise en achevant les fleurs.

Tout cela frappa agréablement Mudd. Sincères comme le soleil, manifestement, évidemment, véridiques, ces deux femmes étaient au-delà de tout soupçon, accusées d'avoir tendu des filets pour Simon. De plus, et pour la première fois de sa vie, il a connu le réconfort d'un esprit féminin en cas de problème. Jusqu'à présent, ses ennuis concernaient principalement des cuivres non nettoyés, du vin bouchonné, des lettres oubliées d'être postées. Dans ce tourbillon d'étonnement, comme l'homme de Poe dans la descente du maelström, qui, s'accrochant à un tonneau, se sentait aspiré plus lentement, Mudd, s'accrochant maintenant à la femelle, sauvait quelque chose : le sens, la clarté d'esprit, la bonté. , appelez-le comme vous voulez : vous avez trouvé le réconfort.

Il avait ouvert son esprit, le cauchemar s'était quelque peu dissipé. Ouvrir son esprit à Bobby ne l'avait pas du tout soulagé ; au contraire, en discutant avec Bobby, la situation lui avait semblé plus insensée que jamais. Les deux esprits masculins rigides s'étaient succédés, incapables de s'entraider ; la femelle dynamique

Quelque chose qui ne pouvait pas être défini de manière stricte était désormais pour Mudd le baril de soutien. Il s'accrochait à l'idée du vieux M. de Mirabole , qui avait rajeuni sans trop de mal ; il sentit que Simon, en tombant sur ces deux femelles, était tombé parmi des oreillers. Il leur parla du message de Simon, qu'il leur rendrait visite plus tard dans la journée, et ils rirent.

« Il sera en sécurité avec nous, dit Madame ; " nous ne le laisserons pas prendre les armes. Ne vous inquiétez pas, monsieur Mudd, le bon Dieu protégera sûrement un innocent si charmant, si bon — tant de bonté peut marcher seule, même parmi les tigres, même parmi les lions ; elle le fera. ne venez à aucun bras. Nous verrons qu'il retourne à l' Otel de la Croix du Partage. Je lui parlerai .

Mudd s'en va, soulagé, tant le pouvoir de la bonté est grand, même s'il brille dans la personne d'une vieille dame française pauvre et d'une jeune fille dont l'innocence est sa seule force.

Mais son soulagement ne fut pas de longue durée, car en entrant dans l'hôtel, comme je l'ai dit précédemment, il rencontra Bobby. "Il est parti", a déclaré Bobby; "m'a donné le bordereau; et il a des billets de banque de deux cents livres avec lui, sans parler du reste."

"Oh Seigneur!" dit Mudd.

"Peut-il être allé voir cette fille ? Quelle est son adresse ?"

"Quelle fille?" » demanda Mudd.

"La fille à qui tu as apporté les fleurs."

"Je viens d'y être", a déclaré Mudd. "Non, il n'était pas là. J'aurais aimé qu'il le soit ; c'est une vieille dame."

"Vieille dame!"

— Et sa fille. Ce sont des Français, pauvres mais honnêtes, pas le moindre mal en eux. Il explique l'affaire Rossignol.

"Eh bien, il n'y a rien d'autre à faire que de s'asseoir et d'attendre", a déclaré Bobby.

"C'est facile de dire ça. Moi, avec mes nerfs presque partis."

"Je sais ; les miens sont presque aussi mauvais. " Sur mon âme, c'est comme si on avait perdu un enfant. Mudd, nous devons le faire sortir de Londres ; nous devons le faire.

"Ramenez-le d'abord", a déclaré Mudd. "Ramenez-le vivant avec tout cet argent en poche. Il sera assassiné avant la nuit, c'est mon avis, je connais Londres; ou mis en prison - et il donnera son vrai nom."

"Nous donnerons un pourboire aux journalistes s'il l'est", a déclaré Bobby, "et garder cela hors de la presse. J'ai été renversé une fois et je connais les ficelles du métier. Rassurez-vous, Mudd, et allez prendre un whisky et un soda. ; tu veux te remonter le moral, et moi aussi."

« Ça bouge ! » dit Mudd.

CHAPITRE VI
LE VOL DU DRAGON-MOUCHE

L'un des aspects les plus agréables, mais peut-être aussi les plus dangereux, de l'état de Simon Pettigrew était son ouverture d'esprit peu anglaise envers les étrangers – des étrangers qui lui plaisaient. Une disposition, en fait, à s'entendre avec tout ce qui lui plaisait, sans poser de questions, sans réfléchir. Des étrangères affables, de jolies filles, cela n'avait rien à voir avec Simon.

Or, lorsque Bobby Ravenshaw entra chez le marchand de cigares, laissant Simon dehors, il n'avait pas particulièrement remarqué une grande voiture Dragon-Fly, de couleur bordeaux et ornée d'un petit monogramme sur le panneau de porte, qui se tenait devant le magasin. immédiatement à droite. C'était la propriété de l'hon. Dick Pugeot , et juste au moment où Bobby disparaissait dans le bureau de tabac, l'hon. Dick est apparu sur le seuil du magasin voisin.

Dick Pugeot , ancien garde, était un grand homme jaune, assez jeune, peut-être pas plus de vingt-cinq ans, mais avec un visage sérieux et paternel et un air qui lui donnait encore cinq ans d'âge apparent. Cette apparence sérieuse et paternelle était trompeuse. Avec une activité de moucheron, un mépris de toutes les conséquences, une grosse fortune, un bon cœur et un goût pour les divertissements de toutes sortes tant qu'ils le faisaient bouger, Dick Pugeot était généralement dans une sorte d'ennui. Son besoin de vitesse sur route n'avait d'égal que son instinct de rapidité à d'autres égards, mais, jusqu'à présent, grâce à la chance et à sa propre personnalité, il avait, à l'exception de quelques permis homologués et autres bagatelles de ce genre. , toujours échappé.

Mais une fois, il fut très près d'un véritable désastre. Il y a environ dix-huit mois, il s'est retrouvé avec une dame, une femelle requin sous l'apparence d'un ange, une – pour le dire dans son propre langage – une « méchante ».

Le méchant l'avait fermement accroché. Elle était aussi comtesse ! et il l'aurait sans doute été frit et mangé si la sagesse d'un oncle ne l'avait sauvé.

"Allez voir mon avocat, Pettigrew", dit l'oncle. "Si elle était une affûteuse de cartes ordinaire, je vous conseillerais d'aller voir Marcus Abraham, mais, vu ce qu'elle est, Pettigrew est l'homme qu'il vous faut. Il ne s'occuperait pas d'un cas ordinaire de ce genre, mais vu ce qu'elle est. , et étant donné que tu es mon neveu, il le fera - et il connaît tous les tenants et aboutissants de sa famille. Il n'y a rien qu'il ne sache sur nous.

« Nous » désigne des personnes de haut niveau.

Pugeot y est allé, Simon s'est chargé de l'affaire, et en quarante-huit heures le poisson était tiré d'affaire, frénétiquement reconnaissant. Il offrit à Simon une cave à vin en argent, puis l'oublia jusqu'à ce moment où, sortant de la boutique de Spud et Simpson, il aperçut Simon debout sur le trottoir, fumant un cigare et regardant le spectacle de la rue.

Les nouveaux vêtements de Simon, son air de vacances et son chapeau de paille le rebutèrent un instant, mais c'était Pettigrew qui avait raison.

"Bonjour, Pettigrew !" dit Pugeot .

"Bonjour", dit Simon, satisfait de la cordialité et de l'apparence de ce nouvel ami.

"Eh bien, tu as l'air plutôt gay", dit Pugeot . "Qu'est-ce que tu fais?"

"Dehors pour s'amuser", a déclaré Simon. "Qu'est-ce que tu fais?"

"Pareil que vous", répondit Pugeot , ravi, amusé et surpris de l'attitude et de la réponse de Simon, le vaste respect qu'il avait pour son astuce grandement amplifié par cette preuve de tendances mondaines. "Montez dans la voiture ; je dois appeler Panton Street un instant, puis nous irons déjeuner ou quelque chose du genre."

Il ouvrit la portière de la voiture et Simon monta à bord ; puis il a donné l'adresse au chauffeur et la voiture est partie.

"Eh bien, je ne m'attendais pas à vous voir ce matin", dit Pugeot . « Je ne peux jamais me sentir assez reconnaissant envers toi non plus – tu n'as rien de spécial à faire, n'est-ce pas ? Où puis-je te conduire ?

"Je dois voir une fille", dit Simon, "mais elle peut attendre."

Pugeot rit.

Cela expliquait les vêtements d'été et le chapeau de paille, mais la franchise lui vint avec un léger choc. Cependant, il était habitué aux chocs, et si le vieux Simon Pettigrew courait après les filles , cela ne le regardait pas. C'était pourtant une bonne blague, même s'il ne parvenait jamais à la raconter. Pugeot n'était pas homme à raconter des histoires en dehors de l'école.

"Ecoute," dit Simon en sortant soudain ses notes, "Je veux en changer cent ; j'ai essayé de le faire dans beaucoup de magasins. On ne peut pas s'amuser sans un peu d'argent."

"Ne vous inquiétez pas", a déclaré Pugeot . "C'est mon spectacle."

"Je veux en changer une centaine", a déclaré Simon, avec la persistance de Toddy qui voulait voir les roues tourner.

"Eh bien, je vais te rendre de la monnaie, même si tu n'en as pas vraiment envie. Eh bien, tu en as deux cents là-bas - et dix!"

"Ce n'est pas trop pour passer un bon moment."

"Oh mon!" dit Pugeot . "Eh bien, si tu es éblouissant, je suis avec toi, Pettigrew. Je me sens en sécurité avec toi, d'une certaine manière ; il n'y a pas grand-chose que tu ne saches."

"Pas grand-chose", dit Simon en se gonflant.

La voiture s'est arrêtée.

"Une minute", dit Pugeot . Il sauta, traita ses affaires et revint en moins de cinq minutes. Il y avait une nouvelle lumière dans son œil sobre.

"Allons prendre une claque au Wilderness", dit-il en baissant d'un ton la voix. "Vous connaissez le Désert. Je peux vous y faire entrer, c'est très amusant."

"Bien", dit Simon.

Pugeot donna une adresse au chauffeur et ils repartirent. Ils s'arrêtèrent dans une rue étroite et Pugeot les précéda dans une maison.

Dans le hall de cette maison , il eut un entretien avec un individu au visage pâle et vêtu de noir, un personnage méchant et las, qui tendit à Simon un livre d'or à signer. Ils entrèrent ensuite dans un bar, où Simon sirota un cocktail, et du bar ils montèrent à l'étage.

Pugeot ouvrit une porte et découvrit Monte-Carlo.

Un Monte Carlo réduit à une pièce et une table. Il s'agissait du Wilderness Club, et autour de la table étaient regroupés des hommes de tous âges et de toutes tailles, certains appartenant au plus haut statut social.

Les enjeux étaient élevés.

Tout comme un enfant engloutit une pomme volée, ces messieurs semblaient essayer de tirer le meilleur parti de leurs affaires furtives et de s'en sortir, gagnants ou perdants, le plus tôt possible, de peur qu'il ne leur arrive le pire . Au malaise du joueur s'ajoutait le malaise du contrevenant, les deux malaises , combinés, formant un cocktail mental qui, pour un grand nombre de habitués, avait un charme bien au-dessus de tout ce que l'on pouvait obtenir dans un casino légitime. sur le continent.

Cet endroit fournissait à Oppenshaw certains de ses patients masculins.

Pugeot a joué et perdu, puis Simon a plongé.

Ils restèrent là une heure, et pendant cette heure- là , Simon gagna sept cents livres !

Alors Pugeot , bien plus ravi que lui, l'entraîna.

Il était maintenant presque une heure, et en bas ils avaient en quelque sorte un déjeuner et une sorte de bouteille de cliquot .

"Vous êtes arrivé avec deux cents et vous repartez avec neuf", a déclaré Pugeot . "Je suis si heureux, vous *avez* de la chance. Quand nous aurons fini , nous ferons un grand tour de larmes et prendrons l'air. Vous feriez mieux de vous procurer une casquette quelque part; ce chapeau de paille sera soufflé à Jéricho. Vous "Je n'ai jamais vu Randall conduire ? Il me bat. Nous allons courir dans mes chambres et chercher des manteaux - la vieille voiture est une Dragon-Fly. Je veux vous montrer ce qu'une Dragon-Fly peut vraiment faire sur les terrains difficiles. route hors de vue de la circulation. Deux Bénédictins, s'il vous plaît.

Ils s'arrêtèrent chez Scott, où Simon investit dans une casquette ; puis ils se rendirent chez Pugeot , où l'on se procura des pardessus. Puis ils ont commencé.

Pugeot était surnommé le Bébé – Baby Pugeot – et ce nom s'appliquait parfois. Mêlé à sa passion de la vie, il aimait le grand air et bien des choses innocentes, parmi lesquelles la vitesse. Randall, le chauffeur, semblait à quatre pattes avec lui sur ce dernier point, et la Dragon-Fly était un instrument efficace. Après avoir quitté Londres, ils traversèrent le Sussex pour rejoindre la mer. La journée était parfaite et remplie sur des kilomètres du bourdonnement de la Libellule. Parfois ils parcouraient soixante-dix milles, parfois moins ; puis vinrent les Downs et une vision de la mer, des villes côtières qu'ils traversèrent pour aller chercher de l'essence et des rafraîchissements liquides. A Hastings, ou quelque part, où ils se livrèrent à un dîner léger et matinal, la vision de Cerise, toujours comme un ange gardien, surgit devant les restes de l'esprit de Simon et son adresse. Il voulait s'y rendre immédiatement, ce qui était manifestement impossible. Il essaya de l'expliquer à Pugeot , qui en même temps essayait d'expliquer une fille aux yeux noirs qu'il avait rencontrée au bal il y a une semaine et qui le hantait. "Je n'arrive pas à me sortir de la tête ses yeux bénis, mon cher ; et elle est fiancée à deux avec un type des Carabiniers, sans un sou à son nom et un tas de dettes aussi gros que le mont Ararat. Elle ne le fera pas. sois heureuse, c'est ce qui m'ennuie ; elle ne sera pas heureuse. Comment peut-elle être heureuse avec un type comme ça, sans un sou à son nom et un tas de dettes ? Seigneur, *je* ne comprends pas les femmes, elles... " C'est au-delà de moi. Serveur, *l'escroc* vous a trouvé ! Appelez-vous ce truc des asperges ? Enlevez-le ! Pas un centime à son nom - et lié à lui pendant des années, peut-être. Je veux dire, c'est absurde... Qu'est-ce qui était " Oh oui, je vais vous y emmener - ce n'est qu'au coin de la rue, pour ainsi dire. Randall le fera. La Libellule nous y amènera en un rien de temps. Vous souvenez-vous, était-ce Hastings ou Bognor ? " " Serveur, salut ! Est-ce Hastings ou Bognor ? Toutes vos villes se ressemblent tellement qu'on ne sait pas laquelle est laquelle, et j'en ai parcouru vingt. Hastings, cela fera l'affaire ; inscrivez vos informations dans la facture - si vous peut trouver de la place pour cela. Ne vous inquiétez pas du tout, mon vieux, elle sera bien là. Tu as dit que tu lui avais envoyé ces fleurs ? Eh bien, cela la gardera en bonne santé et heureuse. Je veux dire qu'elle aura raison, *absolument*, je connais les femmes du sabot à la crinière. Non, pas de pudding. L'addition, s'il vous plaît."

Puis ils étaient dehors, dans le chaud crépuscule de l'été, à écouter un groupe. Alors ils montaient dans la voiture, et Pugeot disait à Simon :

"C'est une très bonne chose que nous ayons un chauffeur de teetotum. Qu'en dis- *tu* , mon vieux ?"

Puis la nuit chaude et ronronnante les prit et les répandit d'étoiles, et une grande lune se leva derrière, ce qui agaçait Pugeot , qui ne cessait de la regarder, en abusant parce que le reflet du pare-brise lui montait dans les yeux. Puis ils ont crevé un pneu et Pugeot , devenu instantanément intelligent , actif et clair, a insisté pour mettre lui-même la roue de secours. Il eut une longue dispute avec Randall pour savoir lequel était l'avant et lequel était l'arrière de la roue – non pas l'avant et l'arrière latéraux, mais l' avant et l'arrière, Randall insistant doucement sur le fait que cela n'avait pas d'importance. Puis la roue fut remise en marche et tous les écrous furent retestés par Randall — opération que Pugeot prit comme une sorte d'insulte personnelle ; le cric fut démonté et Pugeot le jeta dans un fossé. Ils n'en voudraient plus car ils n'avaient pas d'autre roue de secours, et c'était de toute façon une nuisance, mais Randall, avec la bonne humeur et la patience qui lui venaient d'un salaire égal à celui d'un vicaire de campagne, des logements libres et de gros pourboires et avantages sociaux, j'ai récupéré le cric et ils ont commencé.

Une ville et une auberge qui refusaient absolument de servir aux automobilistes souriants quelque chose de plus fort que des « minéraux » ont été adoptées. Puis dix milles plus loin, les lumières d'une ville à l'horizon amenèrent les « intérieurs » secs à une profonde réflexion sur la position.

La ville développant une auberge, Randall fut envoyé, comme la colombe de l'arche, avec un demi-souverain, et revint avec une dame-jeanne en pierre et deux verres. C'était de la bière.

CHAPITRE VII
NEUF CENTS LIVRES

Bobby Ravenshaw n'a pas passé la journée à l'hôtel Charing Cross à attendre Simon ; il s'amusait autrement, laissant Mudd attendre.

A onze heures, il est venu à l'hôtel. M. Mudd était à l'étage, dans la chambre de M. Pettigrew, et on l'appellerait.

Bobby pensait qu'il pouvait déceler beaucoup de choses dans le ton et les manières du portier, un respect et une commisération pour M. Mudd et peut-être pas un respect aussi élevé pour lui-même et Simon. Il imaginait que l'hôtel commençait à les considérer, lui et Simon, comme des groupes douteux du type *bon vivant* – une idée qui était peut-être sans fondement, mais qui était toujours là.

Puis Mudd est apparu.

"Eh bien, Mudd," dit Bobby, "n'est-il pas encore arrivé ?"

"Non, M. Robert."

"Où diable peut-il être ?"

"Je lui donne jusqu'à onze heures et demie", a déclaré Mudd, "et ensuite je pars pour Vine Street."

"Pourquoi diable ?"

"Faire circuler les hôpitaux pour s'enquérir de lui."

"Oh, c'est absurde !"

"Je pense qu'il a eu un accident", a déclaré Mudd. " Volé et assommé, ou drogué à l'opium et laissé dans la rue. Je connais Londres — et lui tel qu'il est ! On le retrouvera avec ses poches à l'envers — je connais Londres. Vous auriez dû l'emmener à la campagne pour -jour, M. Robert, dans un endroit calme ; maintenant, peut-être, il est trop tard.

"C'est très facile à dire. J'ai essayé, et il n'a pas voulu y aller, même pas à Richmond. Londres semble le retenir comme un charme ; il est comme une abeille dans une bouteille : il ne peut pas s'échapper."

A ce moment, une horrible petite fille avec un grand chapeau et des plumes, des bottes trop grandes pour elle et un châle, apparut à la porte d'entrée, aperçut le portier du hall et s'avança vers lui. Elle avait une lettre à la main.

Le portier du hall prit la lettre, la regarda et l'apporta à Mudd.

Mudd jeta un coup d'œil à l'enveloppe et la déchira.

"10, DUKE STREET ",
LEICESTER SQUARE

" M. MODD ,

"Viens tout de suite.

" CÉLESTINE ROSSIGNOL. "

C'était tout, écrit d'une écriture anguleuse et démodée et à l'encre violette.

"Où est mon chapeau ?" s'écria Mudd en courant comme un poulet décapité. "Où est mon chapeau ? Oh oui, il est en haut !" Il disparut et réapparut au bout d'une minute avec son chapeau ; puis, avec Bobby et suivis par la sale petite fille qui trottait derrière eux, ils partirent.

En chemin, ils essayèrent d'interroger la petite fille, mais elle ne savait rien de précis.

Le monsieur avait été ramené chez nous – il ne savait pas ce qui n'allait pas chez lui ; la dame lui avait donné la lettre à prendre ; c'était tout ce qu'elle savait.

"De toute façon, il est vivant", a déclaré Bobby.

"Le Seigneur sait !" dit Mudd.

La petite fille les laissa entrer avec une clé et, Mudd en tête, ils montèrent les escaliers.

Mudd frappa à la porte du salon.

Madame et Cerise étaient là, très calmes et visiblement attendant ; de Simon, il n'y avait aucune trace.

" Oh, M. Modd , " s'écria la vieille dame, " quelle chance vous avez reçu ma lettre ! Pauvre M. Pattigrew ... "

"Il n'est pas mort ?" s'écria Mudd.

Non, Simon n'était pas mort. Elle a dit. Le pauvre Monsieur Pattigrew et un très grand monsieur étaient arrivés il y a plus d'une heure. M. Pattigrew ne pouvait pas se lever ; il était tombé malade, avait déclaré le grand monsieur. Un monsieur si gentil, qui s'était assis et avait pleuré pendant que M. Pattigrew était placé sur le canapé, est tombé malade dans la rue. Le grand monsieur était allé chercher un médecin, mais n'était pas encore revenu. M. Pattigrew avait été mis au lit. Elle et le grand gentleman y avaient veillé.

M. Pattigrew avait repris connaissance un instant au cours de cette opération et avait sorti un certain nombre de billets de banque — un tel nombre ! Elle les avait placés en sécurité dans son bureau ; c'était l'une des raisons pour lesquelles elle avait fait venir si rapidement M. Modd .

Elle sortit les notes – une énorme liasse.

Mudd les prit et les examina avec étourdissement, des billets valant des centaines et des centaines de livres ; et il avait seulement commencé avec deux cents livres !

"Eh bien, il y en a pour près de mille livres ici", a déclaré Mudd.

L'étonnement de Bobby aurait pu être plus grand si ses yeux ne s'étaient pas posés, dès le premier instant de leur entrée, sur Cerise. Cerise avec les lèvres entrouvertes, une couleur exacerbée et l'air d'un petit enfant dans une pièce qu'elle ne comprenait pas bien.

Elle était adorable. Française, innocente, belle comme une fleur – une nouveauté à Londres, il n'avait jamais rien vu de pareil auparavant. La pauvreté de la chambre, l'oncle Simon, ses soucis et ses ennuis, tout était banni ou atténué. Elle était une musique, et si Saül avait pu la voir , il n'aurait pas eu besoin de David.

L'oncle Simon avait-il ajouté le cambriolage au vol à l'arraché, s'était-il introduit dans une bijouterie et avait-il cédé ses profits à une « clôture », commis un vol ? Toutes ces pensées erraient dans son esprit, inoffensives à cause de Cerise.

Le malheureux jeune homme, qui avait si longtemps trompé les filles, avait rencontré celle qui l'attendait depuis le début du monde. Il y a toujours ça ; elle peut être belle, elle peut être simple ou belle comme Cerise : elle est le Destin.

"Et voici la carte du grand monsieur", dit Madame en prenant une carte de visite sur son bureau, puis une autre et une autre.

"Il m'en a donné trois."

Mudd tendit la carte à Bobby, qui lut :

> " L'HONORABLE RICHARD PUGEOT ,
> " PALL MALL PLACE, ST. JAMES.
>
> " CLUB DES GARDES. "

"Je le connais", a déclaré Bobby. " *Ce n'est* pas grave, et oncle Simon n'aurait pas pu tomber entre de meilleures mains. "

"Est-ce donc que Monsieur Pattigrew est votre oncle ?" demanda la vieille dame.

"Il l'est, Madame."

"Alors vous êtes trois fois le bienvenu ici, monsieur", dit-elle.

Cerise regarda les mots, et les yeux de Bobby alors qu'ils rencontraient les siens lui rendirent grâce.

"Venez," dit Madame, "vous le verrez et qu'il est sain et sauf."

Elle ouvrit doucement la porte de la chambre, et là, dans un petit lit mignon et blanc, le petit lit de Cerise, gisait l'oncle Simon, rouge, souriant et ronflant.

"Pauvre Monsieur Pattigrew !" murmura la vieille dame.

Puis ils se sont retirés.

Il semblait qu'il y avait un autre lit à trouver dans la maison pour Cerise, et Mudd, prenant soin du patient, les dames se retirèrent. Il fut convenu qu'aucun médecin n'était nécessaire. Il a également été convenu entre Bobby et Mudd que l'hôtel était impossible après cela.

"Nous devons l'emmener à la campagne demain", a déclaré Mudd, "s'il veut y aller."

"Il s'en ira si je dois le prendre ligoté et attaché", a déclaré Bobby. "Mes nerfs ne supporteront pas un jour de plus. Prends soin de ces notes, Mudd, et ne le laisse pas les voir. Elles lui seront utiles pour l'éloigner. Je serai là le plus tôt possible. Je Je vais voir Pugeot et lui demander les droits de l'affaire. Bonne nuit.

Il est parti.

Dans la rue, il s'arrêta un instant, puis il prit un taxi qui passait pour l'Albany.

Tozer était là, jouant à la patience et fumant. Il n'a pas interrompu son jeu pour l'autre.

"Eh bien, comment va oncle Simon ?" » demanda Tozer.

"Il dort enfin après une journée des plus déchaînées."

"Tu as l'air plutôt sobre."

"N'en parle pas", dit Bobby, se rendant à une affaire de tantale et se servant du whisky. "Mes nerfs sont à vif."

« Vous le suivez ?

"Dieu merci, non!" dit Bobby. "En attendant qu'il réapparaisse mort, meurtri, battu ou simplement ivre et dépouillé de son argent. Il m'a donné le bordereau à Piccadilly avec des billets de deux cents livres dans sa poche. Le prochain endroit où je l'ai trouvé, c'était il y a une demi-heure. dans le lit d'une jeune femme, morte au monde, souriante, et avec près de mille livres en billets de banque, il avait ruche d'une manière ou d'une autre pendant la journée.

"Mille livres!"

"Oui, et il n'avait commencé qu'avec deux cents."

"Je dis," dit Tozer, oubliant ses cartes, "quel type il devait être quand il était jeune !"

"Quand il *était* jeune ! Seigneur, je ne veux pas le voir plus jeune qu'il ne l'est ; si c'est de la jeunesse, donne-moi la vieillesse."

"Vous l'aurez assez vite", a déclaré Tozer, "ne vous inquiétez pas; et cela vous rappellera de rester vieux. Il y a un proverbe arabe qui dit: 'Il y a deux choses plus froides que la glace, un vieux un jeune homme et un jeune vieillard.'"

"Plus froid que la glace !" dit Bobby. "J'aurais aimé que tu aies cinq minutes avec oncle Simon."

"Mais qui était cette dame... cette jeune..."

"Deux des personnes les plus gentilles sur terre", a déclaré Bobby, "une vieille dame et sa fille - française. Il a sauvé la fille dans un accident d'omnibus ou quelque chose comme ça au cours d'une de ses escapades, et l'a ramenée chez sa mère. Puis à- nuit, il a dû s'en souvenir et a demandé à un ami de l'y emmener. Imaginez, le culot ! Qu'est-ce qui l'a rendu, dans son état, capable de s'en souvenir ?

"Comment est la jeune femme ?"

"Elle est belle", dit Bobby ; puis il but une gorgée de whisky et de soda et ne croisa pas le regard de Tozer alors qu'il reposait le verre.

"C'est ce qui lui a permis de se souvenir d'elle", a déclaré Tozer.

Bobby rit.

— Il n'y a pas de quoi rire, dit l'autre, à son âge, quand le cœur est jeune.

Bobby rit encore.

"Bobby", dit Tozer, "méfie-toi de cette fille."

"Je ne pense pas à la fille", a déclaré Bobby ; "Je me demande comment diable le vieil homme——"

"Les jeunes, tu veux dire."

"J'ai tout cet argent."

"Vous êtes un menteur", dit Tozer ; "tu penses à la fille."

CHAPITRE VIII
PLACE PALL MALL

« Higgs ! » s'écria l'hon. Richard Pugeot .

"Monsieur?" » répondit une voix derrière les rideaux de soie coupant le dressing et la salle de bain de la chambre.

"Quelle heure est-il ?"

"Je viens juste d'avoir huit heures, monsieur."

"Donnez-moi de l'eau gazeuse."

"Oui Monsieur."

Le député. Richard resta immobile.

Higgs, un jeune homme rasé de près et à l'allure élégante, apparut avec une bouteille de Schweppes et un gobelet sur un plateau.

Le bouchon a sauté et le malade a bu.

"A quelle heure suis-je rentré à la maison ?"

"Après midi, monsieur, presque une heure."

"Y avait-il quelqu'un avec moi ?"

"Non monsieur."

"Pas de vieux monsieur ?"

"Non monsieur."

« Est-ce que Randall était là ?

"Oui Monsieur."

"Et la voiture ?"

"Oui Monsieur."

"Il n'y avait pas de vieux monsieur dans la voiture ?"

"Non monsieur."

"Bonté divine!" dit Pugeot . "Qu'est-ce que j'ai pu faire de lui ?"

Higgs, ne le sachant pas, ne dit rien, se mettant en devoir de mettre les choses en ordre et de préparer le bain de son maître.

"J'ai perdu un vieux gentleman, Higgs", a déclaré Pugeot , car Higgs était à la fois un serviteur de confiance et un valet de chambre.

"En effet, monsieur", dit Higgs, comme si perdre de vieux messieurs était aussi courant que perdre des parapluies.

"Et toute cette affaire est si drôle que j'ai du mal à croire que c'est vrai. Je n'ai pas la moindre touche de jim-jams, n'est-ce pas, Higgs ?"

"Seigneur, monsieur, non ! Tout va bien."

" Le suis-je ? Voyez ici, Higgs. Hier matin, j'ai rencontré le vieux M. Simon Pettigrew, l'avocat ; attention, vous ne devez rien dire à personne à ce sujet, mais attendez un moment, allez dans le salon et me chercher. *Qui est qui ?* " ".

Higgs est allé chercher le livre.

"'Pettigrew, Simon'", lut Pugeot , le livre posé sur ses genoux, "'Justice de paix pour Herts—Président de la United Law Society—Fellow de la Society of Antiquaries'—h'm, h' m—'Club, Athénée .' Eh bien, j'ai rencontré ce vieux monsieur à Piccadilly. Nous sommes allés faire un tour ensemble, et la dernière chose dont je me souviens, c'est de l'avoir vu courir après un homme d'écurie dans la cour d'une auberge, où nous nous étions arrêtés pour prendre de l'essence, du whisky ou quelque chose du genre ; le poursuivre avec un seau. Il essayait de mettre le seau sur la tête du palefrenier."

"Frais", a déclaré Higgs.

" Comme tu dis, frais... mais je veux savoir, était-ce une illusion d'optique ? Il y avait d'autres choses aussi. Si ce n'était pas une illusion d'optique , je veux savoir ce qu'est devenu le vieux monsieur ? Je suis nerveux – car il m'a rendu un bon service une fois, et j'espère au ciel que je ne l'ai pas laissé s'embêter.

"Eh bien, monsieur," dit Higgs, "je ne m'inquiéterais pas, pas si j'étais vous. Ce n'était que sa petite alouette, et il est très probable qu'il soit rentré chez lui en sécurité grâce à ça."

" J'ai aussi le souvenir de deux dames qui se sont mêlées à cette affaire, " continua l'autre, " mais qui c'était, je ne peux pas le dire. Petite alouette ! Le problème, Higgs, c'est qu'on ne peut pas jouer des petites alouettes comme ça, en toute sécurité, si l'on est une personne très respectable, un juge de paix et un membre de la société comment ça s'appelle.

Il se leva, se baigna et s'habilla, l'esprit très troublé. Les gens entraînés dans le tourbillon de Simon étaient généralement troublés dans leur esprit, tant le pouvoir de la haute respectabilité est grand lorsqu'il est lié aux folies de la jeunesse.

Au petit déjeuner, la carte de M. Robert Ravenshaw fut présentée par Higgs.

"Faites-le entrer", dit Pugeot .

"Bonjour, Ravenshaw !" dit Pugeot . « Content de vous voir. Avez-vous pris le petit-déjeuner ? »

"Oui, merci. Je n'ai appelé qu'un instant pour te voir à propos de mon oncle."

"Quel oncle ?"

"Pettigrew——"

"Mon Dieu ! Vous ne dites pas qu'il est..."

Bobby a expliqué.

C'était comme une meule retirée du cou de Pugeot .

Puis il expliqua à son tour.

Puis Bobby est entré dans les détails.

Ensuite, ils ont consulté.

"Vous ne pouvez pas le faire sortir de Londres sans lui dire où vous l'emmenez", a déclaré Pugeot . "Il renversera la voiture sur la route s'il ressemble à ce qu'il était la nuit dernière. Laissez-moi faire et *je* ferai le tour. Mais la question est, où allons-nous l'emmener ? Cela ne sert à rien d'aller dans un " Un endroit comme Brighton ; trop d'attractions pour lui. Une grange entourée de douves est ce qu'il veut, et même alors, il tombera dans les douves. "

"Je connais un endroit", a déclaré Bobby, "à Upton-on-Hill. Une fille m'en a parlé ; c'est le Rose Hotel."

« Je le sais, dit Pugeot ; "Ça ne pourrait pas être mieux. J'ai un cousin qui vit là-bas dans un endroit appelé The Nook. Il y a un terrain de boules à l'hôtel et un terrain de golf à proximité . Il ne peut pas se faire de mal. Laissez-moi tout faire."

Il a dit à Higgs de téléphoner pour la voiture, puis ils se sont assis et ont fumé pendant que Pugeot montrait à Bobby comment traiter les personnes correspondant à la description de l'oncle Simon.

"Tout cela n'a aucun sens, ce discours de docteur", a déclaré Pugeot . " Le pauvre vieux a perdu une noix ou deux. Je devrais en savoir quelque chose car j'ai eu le même problème dans ma famille. Il a retrouvé sa jeunesse, putain ! Cracké, c'est le vrai nom pour ça. J'ai J'ai vu mon propre oncle, quand il avait soixante-dix ans, retrouver sa jeunesse - et la dernière fois que je l'ai vu, il tirait un éléphant en jouet avec une ficelle. Il avait aussi le goût de jouer avec des allumettes. " Est-ce que c'est la voiture, Higgs ? Eh bien, viens et essayons le pouvoir d'un peu de persuasion douce. "

Simon finissait de petit-déjeuner lorsqu'ils arrivèrent, assistés de Madame et Cerise. Le pauvre M. Pattigrew ne semblait pas non plus avoir le moindre besoin de pitié, bien que les femmes s'occupaient de lui comme les femmes s'occupent d'un malade. Il parlait et riait, et il saluait les nouveaux arrivants comme de bons compagnons qui venaient d'arriver. Sa gentillesse n'était pas à nier, et il frappa Bobby, d'une manière étrange, que l'oncle Simon comme celui-ci était une personne beaucoup plus agréable que le vieil article original. Comme ceci : c'est-à-dire, un instant, à l'abri des meules vicieuses d'une ville qui détruit les papillons et d'une société qui demande aux vieux notaires respectables de rester de vieux notaires respectables.

Puis, les femmes s'étant discrètement retirées pour un moment, Pugeot commença sa douce persuasion.

L'oncle Simon, avec en tête des visions des plaisirs champêtres d'hier, n'avait besoin d'aucune persuasion, et il venait courir à la campagne avec plaisir ; mais Pugeot ne s'occupait plus de ce genre de choses. Il était gai, mais un peu de cette sorte de gaieté lui suffisa longtemps.

"Je ne veux pas dire cela", dit-il; "Je veux dire, descendons et restons tranquillement un moment dans un endroit agréable – je veux dire vous et Ravenshaw ici – car les affaires m'obligeront à revenir en ville."

"Non, merci", dit Simon; "Je suis plutôt heureux à Londres."

"Mais pensez à quel point il fera beau à la campagne par ce temps", dit Bobby. "Il fait tellement chaud à Londres."

"Je l'aime chaud", dit Simon; "Le temps ne doit pas être trop chaud pour moi."

Ensuite, les gentils persuaseurs ont commencé à offrir tour à tour des incitations : des boules, du golf, un bar joyeux dans un hôtel qu'ils connaissaient, même des filles.

Ils auraient tout aussi bien pu offrir des petits pains aux lions de Trafalgar Square.

Alors Bobby eut une idée, et, sortant de la pièce, il eut une conférence dans l'escalier avec Mme Rossignol ; avec Cerise également.

Puis, laissant Simon aux femmes pour un moment, elles allèrent se promener et revinrent chercher la cire de marbre.

Cela ne dérangeait pas Simon de passer quelques jours à la campagne si les dames venaient comme ses invités ; il était maintenant enthousiaste sur le sujet. Ils iraient tous s'amuser à la campagne. Le vieil instinct poétique qui ne s'était pas montré à la hauteur, retenu sans doute par le mesmérisme de Londres, semblait s'éveiller et promettre de nouveaux développements.

Bobby s'en fichait ; la poésie ou la camionnette de Pickford lui étaient indifférentes du moment qu'ils faisaient sortir Simon de Londres.

Il avait promis à Julia Delyse , si vous vous en souvenez, de la voir ce jour-là, mais il l'avait pour le moment assez oubliée.

CHAPITRE IX
JULIE

Elle ne l'avait pas oublié.

Julia, les cheveux lâchés, dans un emballage matinal à l'eau de Nil et faisant frire du bacon sur une poêle à huile Duplex, n'était pas charmante – même si, en effet, peu d'entre nous sont adorables tôt le matin. Elle avait commencé l'appartement avant d'être célèbre. C'était un appartement pour célibataires, où la célibataire était censée faire sa propre cuisine en ce qui concerne le petit-déjeuner et le thé. L'argent rentrant, Julia avait remeublé l'appartement et réquisitionné le service d'une femme de ménage à temps partiel.

Comme les médecins de Harley Street qui partagent leur maison, elle partageait les services de la femme de ménage avec un autre habitant de l'appartement, la femme de ménage venant chez Julia après trois heures pour ranger, apporter le thé de l'après-midi et accueillir les visiteurs. Elle était assez aisée pour embaucher une bonne entière, mais elle était prudente, ses éditeurs auraient pu vous le dire.

Le bacon frit et le petit-déjeuner terminé et débarrassé, Julia, les cheveux encore détachés, se mit au travail à la table débarrassée devant une pile de papiers et de livres de comptes.

Jamais vous n'auriez pu l'imaginer, la Julia de l'autre soir, discutant « littérature » avec Bobby.

Elle n'employait aucun agent littéraire, ce qui était rare, un écrivain ayant le sens des affaires. Quand on voit de vastes maisons d'édition et des éditeurs opulents rouler dans leurs automobiles, c'est une illusion d'optique. Ce que vous voyez, ou plutôt ce que vous devriez voir, c'est une foule d'écrivains dépourvus du sens des affaires.

Julia, assise devant ses papiers et les feuilletant à la recherche d'une lettre, tomba tout à l'heure sur la première lettre qu'elle avait jamais reçue d'un éditeur, une communication très brève et très professionnelle disant que l'éditeur pensait avoir trouvé le chemin vers le publication de son MS. intitulé "Le monde à la porte" et demandant une interview. A cela était lié, comme une sorte de curiosité, l'accord qu'on lui avait proposé de signer et qu'elle n'avait pas signé.

Il donnait – ou aurait donné – à l'éditeur le droit d'auteur et la moitié des droits américains, périodiques, dramatiques et autres. Il offrait dix pour cent sur le prix publié de tous les exemplaires vendus *après* les cinq cents premiers exemplaires ; il stipulait qu'elle devrait lui donner les quatre prochains romans aux mêmes conditions pour l'inciter à faire une publicité appropriée pour le livre - et il avait arraché à Julia la réponse rapide : « Renvoyez immédiatement la copie dactylographiée de mon roman » .

Ainsi s'est terminée la première leçon.

Alors, réconfortée par cette apparemment bonne opinion de son œuvre, elle s'était tournée vers un autre éditeur ? Pas du tout – ou du moins, pas au début. Elle avait rejoint la Société des Auteurs – un acte aussi nécessaire pour devenir un auteur à succès que le baptême pour devenir un chrétien. Elle avait étudié la tribu des éditeurs, ses mœurs et ses œuvres, découvert qu'ils n'aimaient pas plus les livres que les marchands de légumes les pommes de terre, et qu'un tel amour, s'il existait, serait malsain. Car aucun vendeur de marchandises ne devrait aimer les marchandises qu'il vend.

Puis elle s'était rendue dans une grande maison de commerce à la publicité effrontée et bruyante, qui traitait des livres comme les hommes traitent des marchandises en gros, et, interrogeant le directeur d'homme à homme, elle avait conclu son marché, qui était également bon.

Ces gens publiaient des poètes et des hommes de lettres, mais ils respectaient Julia.

Libérée de tout travail créatif ce matin, elle pouvait consacrer toute son attention aux comptes, etc.

Puis elle se tourna vers un petit livre qu'elle griffonnait parfois, et dont elle avait l'idée vague de publier un jour sous un pseudonyme. Il s'intitulait « Jamais » et ce n'était pas de la poésie. C'était un manuel pour auteurs, composé de paragraphes, certains longs, d'autres courts.

"Ne dînez jamais avec un éditeur, le déjeuner est encore pire."

"Ne donnez jamais d'exemplaires gratuits de livres à des amis, ni ne les prêtez. Le livre donné n'a pas de valeur, le livre prêté est toujours perdu. D'ailleurs, les libraires et les bibliothèques prêteuses sont vos vrais amis."

"Ne baissez jamais votre prix."

"N'essayez jamais d'élever votre public."

"Ne discutez jamais avec un critique."

« Ne soyez jamais ravi par les bonnes critiques, ni déprimé par les mauvaises critiques, ni enragé par les critiques médiocres. Le public est votre critique – *il le* sait », et ainsi de suite.

Elle s'est tue "Jamais", après avoir inclus :

"Ne révélez jamais un complot." Puis elle s'est coiffée et a pensé à Bobby.

Il n'avait pas fixé l'heure à laquelle il appellerait ; c'était une clause de l'accord qu'elle avait oubliée, elle aussi, qui faisait si attention aux accords.

Puis elle s'habilla et s'assit pour lire "De Maupassant" et fuma une cigarette.

Elle a déjeuné dans le restaurant en dessous des escaliers puis est retournée à l'appartement. L'heure du thé est arrivée et pas de Bobby.

Elle se sentit piquée, mit son chapeau, et comme la montagne ne voulait pas venir à Mohammed, Mohammed résolut d'aller à la montagne.

Sa mémoire contenait son adresse, « aux soins de Tozer, B12 , l'Albany ».

Elle marcha jusqu'à l'Albany, y arriva peu après cinq heures, trouva B12 et monta les escaliers.

Tozer était à l'intérieur et il a ouvert la porte lui-même.

« Est-ce que M. Ravenshaw est à la maison ? demanda Julia.

"Non", a déclaré Tozer; "il est parti, parti à la campagne."

« Vous êtes parti à la campagne ?

"Oui; il y est allé aujourd'hui."

Tozer avait immédiatement repéré Julia comme la Dame du Complot. Il était aussi peu conventionnel qu'elle et il souhaitait faire davantage connaissance avec le fascinateur de son *protégé* .

« Je pense que nous sommes presque des connaissances communes », dit-il ; "Tu ne veux pas entrer ? Je m'appelle Tozer et Ravenshaw est mon meilleur ami. J'aimerais te parler de lui. Tu ne veux pas entrer ?"

"Certainement", dit l'autre. "Je m'appelle Delyse , j'ose dire que vous le savez."

"Je le sais bien", a déclaré Tozer.

"Je ne parle pas de mes livres", dit Julia en prenant place dans le confortable salon, "mais de M. Ravenshaw."

"Des deux," dit Tozer, "et ce que je veux voir, c'est le nom de Ravenshaw aussi connu que le vôtre un jour . Bobby a été un dépensier avec son temps, et il a beaucoup d'intelligence."

"Beaucoup", dit Julia.

Tozer, qui avait un sens aigu du caractère, avait fait passer Julia pour une personne sensée – il ne l'avait jamais vue dans l'une de ses crises d'amour – et c'était une dame. Juste la personne qui s'occupe de Bobby.

"Il est parti aujourd'hui à la campagne avec un vieux monsieur, son oncle."

"Je sais tout sur *lui* ", a déclaré Julia.

"Bobby te l'a dit, alors ?"

"Oui."

"A propos de l'attaque de la jeunesse ?"

"Oui."

"Eh bien, toute une fête de famille est partie en automobile aujourd'hui. Bobby est venu ici pour récupérer ses bagages et je suis allé dans la rue Vigo et je les ai accompagnés."

"Comment veux-tu dire : une fête de famille ?"

"Le jeune vieux monsieur et un grand homme blond, et Bobby, et une vieille dame et une jolie fille."

Julia déglutit légèrement.

"Rapports?"

"Non, françaises, je pense, les dames l'étaient. Des gens plutôt gentils, je crois, quoique pauvres. Le vieux monsieur les avait rencontrées dans certaines de ses pérégrinations."

"Bob... M. Ravenshaw a promis de me voir aujourd'hui", a déclaré Julia. "Nous sommes engagés – je parle très franchement – au moins, pour autant que nous sommes engagés, vous pouvez comprendre."

"Assez."

"Il aurait dû me le faire savoir", dit-elle d'un ton maussade.

"Il devrait."

"Sont-ils allés à Upton-on- Hill, le savez-vous ?"

"Ils l'ont fait. Le Rose Hôtel."

Julia réfléchit un moment . Puis elle s'est levée pour partir.

" Si vous voulez mon avis, " dit Tozer, " je pense que tout le monde veut s'occuper. Ils semblaient une fête plutôt agréable, mais la responsabilité semblait quelque peu absente ; la vieille dame, si charmante qu'elle fût, me semblait à peine assez de lest pour tant de jeunesse. »

"Je comprends", dit Julia. Puis elle s'en alla et Tozer alluma une pipe.

La jolie jeune Française le troublait. Elle l'avait charmé lui-même – et il connaissait Bobby, et sa sagesse indiquait qu'une beauté sans le sou n'était pas le premier échelon de l'échelle menant au succès dans la vie.

Julia, en revanche, était solide. C'est ce qu'il pensait.

PARTIE IV

CHAPITRE I
LA GARDEN-PARTY

Upton-On-Hill se dresse sur une étendue de terre s'étendant du nord au sud, principalement boisée de pins et offrant une vue sur la moitié du Wessex, mais pas sur le Wessex de Thomas Hardy. Vous pouvez voir sept clochers d'église depuis Upton, et la voie romaine l'emprunte dans son parcours, devient un instant Upton High Street, puis redevient la voie romaine menant aux Downs et à la mer lointaine.

C'est un endroit reposant, et au printemps le cri des oiseaux et le chant mesuré du coucou remplissent le village, se mêlant à la voix des pins qui parlent toujours. En été, Upton dort parmi les roses dans une atmosphère de soleil et de somnolence, chantée par les abeilles et les oiseaux. Le Rose Hôtel se dresse, en retrait de la High Street, sur son propre terrain, et à côté de la Rose il y a deux autres maisons de rafraîchissement, les Armes du Maçon et la Tête du Sarrasin, dont nous parlerons plus loin.

C'est un endroit agréable et reposant. En passant par là, les gens disent : « Oh, quel rêve ! en y vivant, on est finalement amené à admettre qu'il y a des rêves et des rêves. Ce n'est pas le lieu qui impose cette conviction mais le peuple.

Tout comme la voie romaine se rétrécit au début de High Street, la vie d'un étranger venant, par exemple, de Londres, se rétrécit au début de sa résidence à Upton. Si vous êtes un villageois, vous vous retrouvez sous un microscope avec trois cents yeux à l'oculaire ; si vous êtes une personne distinguée, mais sans présentations, vous vous retrouvez la cible d'une demi-douzaine de télescopes braqués sur vous par les habitants.

Le colonel Salmon, qui possédait les droits de pêche du ruisseau à truites en contrebas de la colline, les Talbot- Tomson , les Griffith-Smith, les Grosvenor-Jones et les autres, tous ceux-là, à défaut de présentation, vous constaterez qu'ils résistent passivement à votre présence. .

Or, prudence envers les étrangers et snobisme sont deux choses différentes. Les Uptoniens sont snobs parce que, même si vous êtes aussi belle qu'un rêve ou aussi innocente qu'un saint, vous serez reniflée et retournée ; mais si vous êtes riche , c'est une autre affaire, comme dans le cas des Smyth-Smyth, qui n'étaient ni beaux ni innocents, mais c'est une autre histoire.

«Le village est à un mille plus loin, dit Pugeot ; " Descendons ici avant d'aller à l'hôtel et de prendre le thé de l'après-midi avec mon cousin. Randall, dirigez-vous vers The Nook. "

La voiture n'était pas la Dragon-Fly, mais une énorme limousine fermée, avec Mudd assis à côté de Randall, et à l'intérieur, le reste de cette ménagerie sociale sur le point de débarquer sur les habitants d'Upton au débarcadère de la position sociale de Dick. Le cousin de Pugeot , Sir Squire Simpson.

Toutes les présentations du monde ne pourraient pas être meilleures que la présentation personnelle du *résident* d'Upton par l'hon. Richard Pugeot .

Ils passèrent les portes du lodge puis empruntèrent une agréable allée jusqu'à une grande façade de maison, devant laquelle une petite garden-party semblait se dérouler ; C'était un grand thé de l'après-midi, et il y avait des hommes en flanelle, et des filles en robes d'été, et des raquettes de tennis abandonnées qui traînaient, et la vue de tout cela donna à Bobby une tournure horrible.

L'oncle Simon avait été très silencieux pendant le voyage – heureux mais tranquille – coincé entre les deux femmes, mais ce n'était pas le genre d'endroit où il souhaitait faire atterrir l'oncle Simon malgré sa quiétude et son bonheur. Mudd avait évidemment aussi des scrupules, car il regardait sans cesse à travers la vitre de la voiture et semblait essayer d'attirer le regard de Bobby.

Mais il n'y avait pas de retour en arrière possible.

La voiture a parcouru l'allée, a dépassé la fête sur la pelouse et s'est arrêtée devant la porte d'entrée. Puis, alors qu'ils se préparaient, un grand vieillard, sans chapeau et vêtu de tweed gris, se détacha de la foule sur la pelouse et s'approcha d'eux.

C'était Sir Squire Simpson, Bart. Sa tête était en forme de dôme, il avait de lourdes paupières qui rappelaient des volets mi-clos et un visage qui semblait taillé dans du vieil ivoire : un personnage extrêmement sérieux et majestueux ; mais il était content de voir Pugeot , et il s'avança avec une main tendue et l'ombre d'un sourire suranné.

"J'ai invité des amis à séjourner à l'hôtel", a déclaré Pugeot , "et j'ai pensé que nous passerions d'abord ici pour prendre le thé. Je ne m'attendais pas à trouver une fête."

"Enchanté", dit le Squire.

Il fut présenté à « Mon ami, M. Pettigrew, Madame… euh… de Rossignol, Mademoiselle de Rossignol, M. Ravenshaw ».

Puis la fête se dirigea vers la pelouse, ils furent tous présentés à Lady Simpson, une personne à l'air inoffensive qui les accueillit, les répartit parmi ses invités et leur donna du thé.

Bobby, se détachant un instant des charmes de Miss Squire Simpson, réussit à mettre la main sur Pugeot .

"Je dis," dit-il, "tu ne penses pas que c'est peut-être un peu trop pour mon oncle ?"

"Oh, il va bien", dit Pugeot ; "Il ne peut y avoir aucun mal ici. Regardez-le, il est très heureux."

Simon semblait assez heureux, parlant à une femme à l'allure douairière et buvant son thé ; mais Bobby n'était pas content. D'une manière ou d'une autre, tout semblait faux, et il maltraita Pugeot dans son cœur. Pugeot avait dit lui-même qu'une grange entourée de douves était l'endroit approprié pour l'oncle Simon, et même dans ce cas , il pourrait tomber dans les douves – et maintenant, avec la splendide inconséquence de sa nature, il l'avait précipité dans ce tourbillon de la société locale. Ce n'était pas un isolement à la campagne. Eh bien, certains de ces gens pourraient, par hasard, être les clients de l'oncle Simon !

Mais cela ne servait à rien de s'inquiéter, et il ne pouvait rien faire d'autre que regarder et espérer. Il remarqua que les femmes s'étaient visiblement engagées dans Cerise et sa mère, et il ne pouvait s'empêcher de se demander vaguement comment cela aurait été s'ils avaient pu voir les chambres de Duke Street, Leicester Square, et la photo de l'oncle Simon cachée. debout et ronflant dans le petit lit de Cerise.

Le tennis recommença et Bobby, fermement épinglé par Miss Squire Simpson – c'était une fille simple – dut s'asseoir pour regarder un match et essayer de parler.

Le fait que Madame et Cerise étaient étrangères avait évidemment toléré leur manque de cette touche vestimentaire qui fait le style. Leur hôtesse les conduisait et leur montrait des choses.

L'oncle Simon avait disparu vers la roseraie du fond de la maison, en compagnie d'une femme ; elle semblait âgée. Bobby espérait le meilleur.

"Tu es ici depuis longtemps ?" » demanda Miss Squire Simpson.

"Pas très longtemps, je pense", répondit-il. "Nous serons peut-être ici environ un mois, tout dépend de la santé de mon oncle."

« Ce monsieur avec qui vous êtes venu ?

"Oui."

"Il a l'air terriblement joyeux."

"Oui, mais il souffre d'insomnie."

"Alors il dormira beaucoup ici", dit-elle. "Oh, dis-moi le nom de cette jolie fille qui est venue avec toi ! Je n'arrive jamais à saisir un nom quand je suis présenté à une personne."

"Une Miss Rossignol, c'est une amie de mon oncle, elle est française."

"Et la chère vieille dame est sa mère, je suppose ?"

"Oui. Elle écrit des livres."

"Une auteure ?"

"Oui, au moins, je crois qu'elle traduit des livres. Elle est terriblement intelligente."

"Bien joué!" s'écria Miss Squire Simpson, sortant du sujet et tombant en extase au coup d'un coup fait par l'un des imbéciles en flanelle, puis reprenant :

« Elle *doit* être intelligente. Et vous restez tous ici ensemble ?

"Oui, à l'Hôtel Rose."

"Vous y trouverez un joli petit endroit", dit-elle, inconsciente de tout *double sens* , "et vous aurez beaucoup de tennis ici. Est-ce que vous pêchez ?"

"Un peu."

"Alors vous devez vous rattraper auprès du colonel Salmon... c'est lui qui s'occupe des filets... il possède le meilleur ruisseau à truites d'ici."

Bobby regarda le colonel Salmon, un gros homme au visage rouge avec une tête qui ressemblait un peu à celle d'un saumon – un saumon doté d'un sens aigu de sa propre importance.

Puis Pugeot est arrivé en fumant une cigarette, et puis quelques personnes ont commencé à s'en aller. La grosse limousine réapparut de l'arrière-boutique avec Mudd et les bagages, et Pugeot commença à récupérer son groupe. Simon reparut avec la vieille dame ; ils souriaient tous les deux et il n'avait visiblement fait aucun mal. Il aurait peut-être mieux valu qu'il l'ait fait dès le début. Les dames françaises furent reprises et tandis qu'elles montaient dans la voiture, une foule de résidents encerclaient la porte, leur disant au revoir pour le moment.

"N'oubliez pas que vous devez venir voir mes roses", a déclaré Mme Fisher-Fisher. "Ne vous souciez pas des formalités, venez tous."

"Vous trouverez Anderson s'arrêtant à l'hôtel; c'est un garçon plutôt sympathique", s'écria Sir Squire Simpson. "Si longtemps, si longtemps."

"Ne sont-ils pas charmants ?" dit la vieille madame Rossignol, dont le visage était légèrement rougi par le bon temps qu'elle avait passé ; "et la belle maison et le beau jardin."

Elle n'avait pas vu de jardin depuis des années ; en vérité, Simon *était* une bonne fée pour les Rossignol .

Ils s'arrêtèrent à l'hôtel Rose. Une vaste vigne grimpante de glycine ombrageait la porte du hall, et le propriétaire sortit à leur rencontre. Pugeot avait télégraphié des chambres ; il connaissait Pugeot , et la façon dont il les recevait en disait long.

Puis les Rossignol furent conduits dans leur chambre, où leurs pauvres bagages, tels qu'ils étaient, avaient été portés devant eux.

C'était une grande chambre, avec des tentures en chintz et un sol avec des collines et des vallées ; elle avait des poutres en chêne noir et la fenêtre ouvrait sur le jardin.

La vieille dame s'assit.

"Combien je suis heureux!" dit-elle. "Ça ne ressemble pas à un rêve, *ma fée* ?"

"C'est comme le paradis", dit Cerise en l'embrassant.

———————————————————————

CHAPITRE II
CORNE

"Non, monsieur", a déclaré Mudd, "il ne prend presque rien au bar de l'hôtel, mais il est resté assis hier soir jusqu'à l'heure de fermeture dans les bras du maçon."

"Oh, c'est là qu'il était", a déclaré Bobby. "Comment avez-vous trouvé?"

"Eh bien, monsieur", a déclaré Mudd, "j'étais moi-même dans le salon , en train de boire une goutte d'eau chaude et du gin avec un peu de citron dedans. C'est une maison décente, et la chambre des domestiques de cet hôtel n'a pas d'importance. Cela ne me plaît pas, ni à l'homme de M. Anderson. J'étais assis là à fumer ma pipe quand il est entré au bar à l'extérieur. J'ai entendu sa voix. Il s'assoit et parle assez amicalement avec les gens là-bas et commande une pinte de bière tout autour. . Assez affable et amical.

"Eh bien, il n'y a aucun mal à cela", a déclaré Bobby. "J'ai souvent fait la même chose dans une auberge de campagne. Est-ce qu'il s'en tenait à la bière ?"

"Il l'a fait", dit Mudd d'un air sombre. "Il avait ce billet de dix livres que j'ai eu la bêtise de lui laisser. Oui, il s'en tenait à la bière, tout comme les gars qu'il soignait."

" Ce qui est drôle, " dit Bobby, " c'est que même s'il sait que nous avons son argent - et, par pitié, il y en a près de onze mille - il ne s'oppose pas à ce que nous le prenions - il doit savoir que nous avons ouvert ce portemanteau. ... mais il vient vers vous pour de l'argent comme un écolier.

"C'est ce qu'il est", a déclaré Mudd. « Je crois, M. Robert, qu'il devient de plus en plus jeune ; il est aussi astucieux qu'un enfant après les sucreries. Et il sait que nous prenons soin de lui, je crois, et cela ne le dérange pas, car cela fait partie de son amusement. pour nous échapper. Eh bien, comme je le disais, il était là, assis à parler et tous ces gars du village l'écoutaient comme s'il était le sultan de Turquie qui faisait la loi. C'est ce qui lui plaisait. Il aime être au milieu de tout ; et à mesure que la bière baissait, les discussions montaient — jusqu'à ce qu'il leur dise qu'il avait participé à la bataille de Waterloo.

"Bon dieu!"

" *Ils* ne savaient pas autre chose", a déclaré Mudd, "mais cela m'a fait ramper pour l'écouter."

" Le problème, " dit Bobby, " c'est que nous avons affaire non seulement à un jeune homme, mais au genre de jeune homme qui était jeune il y a quarante ans. C'est notre problème, Mudd ; nous ne pouvons pas calculer sur quoi il va. " ça fera l'affaire parce que nous n'avons pas les données. Et un autre problème est que sa bêtise semble avoir augmenté en étant mis en bouteille si longtemps, comme de la vieille bière, mais il ne peut pas nuire aux villageois, ce sont des innocents. ".

"Sont-ils?" dit Mudd. "L'un des types à qui il parlait était un type à l'air de potence. Horn est son nom, et c'est un braconnier, je crois. Ensuite, il y a le forgeron et un type aux yeux louches qui se fait appeler boucher ; les *deux* sont " Ce n'est pas grand-chose. Beaucoup d'innocents ! Eh bien, si vous aviez les histoires que l'homme de M. Anderson m'a racontées sur ce village, les cheveux vous dresseraient sur la tête. Eh bien, Londres est une école de filles pour ces villages de campagne, si tout est vrai. Non, M. Robert, il veut s'occuper d'ici plus que n'importe où, et il me semble que la seule personne qui ait une réelle emprise sur lui est la jeune dame.

« Mademoiselle Rossignol ?

"Oui, M. Robert, il s'en est pris à elle de manière stupide, et elle peut le faire tourner autour de son doigt comme un enfant. Quand il est avec elle, il est une personne différente, hors de sa vue, il est un autre homme."

"Ecoute, Mudd," dit l'autre, "il ne peut pas être amoureux d'elle, car il n'y a pas une fille qu'il voit et après laquelle il ne jette son regard."

"Peut-être", a déclaré Mudd, "mais quand il est avec elle, il est amoureux d'elle; je l'ai observé et je sais. Il l'adore, je crois, et si elle n'était pas si sensée , j'aurais peur de lui." C'est une bénédiction qu'il l'ait rencontrée ; elle est la seule emprise sur lui, et elle est une bonne emprise.

"C'est une bénédiction", a déclaré Bobby. Puis, après une pause, "Mudd, tu as toujours été un bon ami à moi, et cette affaire m'a fait découvrir qui tu es vraiment. Quelque chose me dérange, je suis moi-même amoureux d'elle. Là, tu l'as."

"Avec Miss Rossignol ?"

"Oui."

"Eh bien, vous pourriez choisir pire", a déclaré Mudd.

"Mais ce n'est pas tout", a déclaré Bobby. "Il y a une autre fille… Mudd, j'ai été un sacré imbécile."

"Nous avons tous été des imbéciles à notre époque", a déclaré Mudd.

"Je sais, mais c'est plutôt désagréable quand les folies reviennent à la maison pour se percher sur soi. C'est une fille assez gentille, Miss Delyse , mais je ne m'intéresse pas à elle. Pourtant, d'une manière ou d'une autre , je me suis mêlé à elle - pas vraiment fiancé. , mais très près. Tout s'est passé en un instant, et elle vient ici ; j'ai reçu une lettre d'elle ce matin.

"Oh Seigneur!" » dit Mudd, « un autre mélange. Comme si nous n'étions pas assez nombreux dans le métier !

"C'est un bon nom pour ça, 'business'. J'ai l'impression de contribuer à faire fonctionner une sorte d'usine bestiale, une sorte de spectacle fou où l'on essaie de condenser la folie et de lui faire consommer sa propre fumée - un whisky-alambic illicite, car nous essayons de cacher notre affaires tout le temps, et cela me fait flipper de penser qu'à tout moment un client peut arriver et le voir comme ça. Je me sens parfois, Mudd, comme doivent ressentir les gars quand ils sont poursuivis par la police.

"Ne parlez pas de la police", a déclaré Mudd, "le seul mot me donne des frissons. Quand vient-elle, M. Robert ?"

"Mlle Delyse ? Elle arrive aujourd'hui par le train de 15h15 à la gare de Farnborough, et je dois la rencontrer. Je viens de lui réserver une chambre ici. Vous voyez comme je suis attaché. Si j'étais seule ici , elle pourrait Je ne viendrai pas, parce que ce ne serait pas convenable, mais *l' avoir* ici rend cela approprié.

« Lui avez-vous dit dans quel état il se trouve ?

"Oui. Cela ne la dérange pas ; elle a dit qu'elle souhaitait que tout le monde soit pareil — elle a dit que c'était magnifique."

Ils parlaient dans la chambre de Bobby, qui donnait sur le jardin de l'hôtel, et regardant maintenant par la fenêtre, il aperçut Cerise.

Puis il s'est détaché de Mudd. Il la rejoignit alors qu'elle traversait la petite allée aux toits de rocaille qui mène du jardin au terrain de boules. Il y a une tonnelle dans le jardin, cachée dans un coin, et il y a une tonnelle près du terrain de boules ; il y a plusieurs autres tonnelles , car l'hôtelier était un expert dans son travail, mais ce sont les deux seules tonnelles qui ont à voir avec notre histoire.

Bobby rattrapa la jeune fille avant qu'elle n'atteigne le green, et ils s'y dirigèrent ensemble, discutant comme les jeunes gens seuls peuvent discuter avec vie et gaieté de rien. Ils étaient étonnamment bien assortis dans leur esprit. Les esprits ont des couleurs tout comme les yeux ; il y a des esprits noirs et des esprits bruns et des esprits de couleur boueuse et des esprits gris et des esprits bleus. L'esprit de Bobby était bleu, même si, en effet, il semblait parfois presque vert. Celui de Cerise était bleu, d'un bleu joyeux comme le bleu de ses yeux.

Cela faisait maintenant deux jours et demi qu'ils étaient assez proches et s'étaient bien connus malgré l'oncle Simon, ou plutôt peut-être grâce à lui. Ils en parlèrent librement et sans réserve, et ils en parlaient maintenant, comme le montrera l'extraordinaire conversation suivante.

"Il est bon, comme vous le dites", dit Bobby, "mais il me cause plus de problèmes qu'un enfant."

Cerise dit : « Dois-je vous dire un petit secret ?

"Oui."

"Tu me promets sûrement, très sûrement, que tu ne révéleras jamais mon petit secret ?"

"Je jure."

"Il est en amour avec moi, je pensais que c'était maman , mais c'est moi." Un éclat de rire qui fit écho au bowling suivit cet aveu.

"Hier soir, il m'a dit avant le dîner : 'Cerise, je t'adore .'"

"Et qu'est-ce que vous avez dit?"

"Puis le gong du dîner a sonné", a déclaré Cerise, "et j'ai dit: 'Oh, Monsieur Pattigrew , je dois courir et changer de robe.' Puis je suis partie en courant. Je ne voulais pas changer de tenue vestimentaire, mais je voulais changer de conversation", a terminé Cerise.

Puis avec un sourire, "Il m'aime plus que n'importe quelle autre fille."

"Pourquoi, comment sais-tu qu'il aime les autres filles ?"

"Je l'ai vu regarder des filles", a déclaré Cerise. "Il aime tout le monde, mais ce sont les filles qu'il aime le plus."

"Es-tu amoureuse de lui, Cerise ?" » demanda Bobby avec un sourire.

"Oui", dit franchement Cerise. "Qui pourrait aider?"

"A quel point es-tu amoureuse de lui, Cerise ?"

"Je marcherais jusqu'à Londres pour lui sans mes chaussures", a déclaré Cerise.

"Eh bien, c'est quelque chose", dit Bobby. "Viens dans cette petite tonnelle , Cerise, et asseyons-nous. Ça ne te dérange pas que je fume ?"

"Pas du tout"

"C'est bien que quelqu'un en aime un comme ça", dit-il en allumant une cigarette.

"Il me le tire", dit Cerise.

"Eh bien, je dois dire qu'il est plus sympathique tel qu'il est que tel qu'il était ; tu aurais dû le voir avant qu'il ne soit jeune, Cerise."

« Il a toujours été bon », dit-elle, comme si elle parlait avec certitude ; "toujours bon, gentil et doux."

"Il a réussi à le cacher", a déclaré Bobby.

"Ah oui, peut-être, il y a beaucoup de vieux messieurs qui semblent durs et pas gentils, et puis au fond, c'est différent."

« Comment aimerais-tu épouser mon oncle ? » demanda-t-il en riant.

"S'il était jeune à l'extérieur comme il l'est à l'intérieur de lui, pourquoi, alors je ne sais pas. Je pourrais, je ne pourrais pas."

Alors le malheureux jeune homme, oubliant tout, même l'approche de Julia, laissa sa voix baisser d'un demi- ton ; il s'est éloigné de l'oncle ; Simon sur la question de la beauté des roses.

La conversation s'arrêta un peu, puis il lui tint un doigt.

Puis vinrent des pas sur le gravier. Une servante.

"La mouche est prête à vous emmener à la gare, monsieur."

Il était trois heures.

CHAPITRE III
JULIA— *suite*

C'était un mélange entre un fiacre et un "growler", avec la voix de ce dernier, et la poussière de la route de Farnborough , avec la perspective d'un trajet de trois milles pour rencontrer Julia et d'un trajet de trois milles pour revenir, Cela n'a pas rempli Bobby de joie, pas plus que la perspective de devoir donner des explications.

Il était bien déterminé là-dessus. Après l' affaire de la tonnelle , il était impossible de continuer avec Julia ; il devait rompre tous les liens qui existaient entre eux, et il devait régler les affaires avant qu'elle n'arrive à l'hôtel. Puis vint la perspective de devoir vivre avec elle à l'hôtel, même pour une nuit. Il s'interrogeait, se demandait s'il était un goujat ou pas, s'était-il moqué de Julia ? D'après mes souvenirs, ils s'étaient tous deux moqués l'un de l'autre. C'était une affaire soudaine, et aucune promesse réelle n'avait été faite ; il n'avait même pas dit « Je t'aime » – mais il l'avait embrassée. L'esprit juridique aurait sans aucun doute interprété cela comme une déclaration d'affection, mais l'esprit de Bobby n'était pas légal – tout sauf – et quant à embrasser une fille, s'il avait été condamné à épouser toutes les filles qu'il avait embrassées, il l'aurait fait. été forcé de vivre dans l'Utah.

Il dut attendre une demi-heure le train à Farnborough, et quand il arriva, Julia, sexy et vêtue de vert, entra en traînant un fourre-tout et un paquet de magazines et de journaux.

" Et toi ? " » dit Bobby alors qu'ils se serraient la main.

"Chaud", dit Julia.

"N'est-ce pas ?"

Il porta le fourre-tout jusqu'à la braguette et un porteur le suivit avec un portemanteau en vannerie. Une fois les bagages rangés, ils montèrent et la mouche s'envola.

Julia n'était pas d'humeur passionnée ; personne n'est et n'a jamais été après un voyage sur le London and Wessex and South Coast Railway - à moins qu'il ne s'agisse d'un sentiment de passion contre le chemin de fer. Elle semblait en effet mécontente et critique, et un ton de plainte dans sa voix remonta le moral de Bobby.

"Je sais que c'est une très vieille mouche", dit-il, "mais c'est la meilleure qu'ils avaient ; l'automobile de l'hôtel est en panne ou quelque chose comme ça."

"Pourquoi ne m'as-tu pas télégraphié ce jour-là," dit-elle, "que tu partais si tôt ? Je n'ai reçu ton télégramme d'ici que le lendemain matin. Tu m'avais promis de me rencontrer et tu n'es jamais venu. Je suis allée à l'Albany. pour voir si vous étiez dedans, et j'ai vu M. Tozer. Il a dit que vous étiez parti avec une demi-douzaine de personnes dans une voiture... "

"Seulement quatre, sans compter moi", coupa Bobby.

"Deux dames——"

"Une vieille dame française et sa fille."

"Eh bien, ça fait deux dames, n'est-ce pas ?"

"Je suppose que oui, on ne peut pas en arriver à trois. Et puis il y avait mon oncle ; c'est vrai qu'il est un hôte en lui-même."

"Comment va-t-il?"

"Magnifiquement."

"J'ai très hâte de le voir", a déclaré Julia. "Il est si rare de rencontrer quelqu'un de vraiment original dans cette vie ; la plupart des gens sont des copies des autres, et généralement de mauvais gens."

"C'est vrai", dit Bobby.

"Comment se passe le roman ?" dit Julia.

"Cieux!" dit Bobby, "pensez-vous que je puisse ajouter du travail littéraire à mes autres distractions ? Le roman ne continue pas, mais l'intrigue oui."

"Comment veux-tu dire ?"

"Oncle Simon. J'ai en lui le début et le milieu d'un roman, mais je n'ai pas la fin."

"Tu vas le mettre dans un livre ?"

"J'aimerais bien pouvoir le faire et fermer les couvertures sur lui. Non, je vais l'intégrer dans une histoire – c'est lui qui fait la majeure partie du tissage, mais ce n'est qu'un détail. Écoute, Julia…"

"Oui?"

"J'étais en train de penser."

"Oui?"

"Je pensais que nous avions fait une erreur."

"OMS?"

"Eh bien, nous. Je n'ai pas écrit, je pensais que j'attendrais de te voir."

"Comment veux-tu dire ?" dit Julia sèchement.

"Nous."

"Oui?"

"Eh bien, tu vois ce que je veux dire. C'est juste comme ça, les gens font des choses stupides sur un coup de tête."

"Qu'avons-nous fait de bêtise ?"

"Nous n'avons rien fait de stupide, mais je pense que nous étions trop pressés."

"Comment?"

"Oh, tu sais, ce soir-là dans ton appartement."

"Oh!"

"Oui."

"Tu veux dire que tu ne tiens plus à moi ?"

"Oh, ce n'est pas ça ; je tiens beaucoup à toi."

"Dites-le tout de suite", dit Julia. "Tu tiens à moi en tant que sœur."

"Eh bien, c'est à peu près tout", dit Bobby.

Julia était silencieuse et seule la voix de la mouche remplissait l'air.

Puis elle dit :

"C'est aussi bien de savoir où l'on est."

"Êtes-vous en colère?"

"Pas du tout."

Il lui jeta un coup d'œil.

"Pas du tout. Vous avez rencontré quelqu'un d'autre. Pourquoi ne pas le dire ?"

"Oui," dit Bobby. "Tu sais très bien, Julia, on n'y peut rien."

« Je ne sais rien de « ces choses », comme vous les appelez ; je sais seulement que vous avez cessé de vous soucier de moi – que cela suffise.

Elle était très calme et Bobby avait le sentiment qu'elle ne se souciait pas tellement de lui. Ce n'était pas une sensation agréable, même si cela le soulageait. Il s'était attendu à ce qu'elle pleure ou s'enfuie de colère, mais elle était tout à fait calme et ordinaire ; il avait presque envie de lui faire à nouveau l'amour pour voir si elle *tenait* à lui, mais heureusement ce sentiment est passé.

"Nous serons amis", dit-il.

"Absolument", a déclaré Julia. "Comment une petite chose pareille pourrait-elle gâcher l'amitié ?"

Était-elle pour plaisanter avec lui ou pour de bon ? Bitter, ou juste elle-même ?

« Est-ce qu'elle reste à l'hôtel ? demanda-t-elle après un moment de silence.

"Elle l'est", a déclaré Bobby.

"C'est la Française ?"

"Comment as-tu deviné ça ?"

"Je savais."

"Quand?"

"Quand tu les as expliqués et que tu as commencé par la vieille dame. Mais la vieille dame aura sans doute son tour ensuite, et à la prochaine fille tu les expliqueras, en commençant par la fille."

Bobby avait très chaud et se sentait mal à l'aise.

"Maintenant, tu es en colère contre moi", dit-il.

"Pas du tout."

"Eh bien, soyons amis."

"Absolument. Je ne pourrais jamais te considérer comme l'ennemi de quelqu'un d'autre que toi-même."

Bobby n'appréciait pas la route, et il y en avait encore un kilomètre en plus – en montée, principalement.

« Je pense que je vais sortir et donner une chance au pauvre vieux cheval », dit-il ; "ces collines sont bestiales pour ça."

Il descendit et marcha à côté de la braguette, jetant de temps à autre un coup d'œil à la silhouette de Julia, qui semblait ruminer.

Il commençait à sentir, maintenant, qu'il lui avait fait du mal, et elle n'avait rien dit sur un retour demain ou quelque chose comme ça, et il était tenu comme par un étau, et Cerise et lui seraient sous le microscope. , et Cerise ne savait rien de Julia.

Puis il remonta dans le fly et cinq minutes plus tard, ils arrivèrent à la Rose. Simon se tenait sous le porche alors qu'ils arrivaient ; son chapeau de paille était sur l'arrière de sa tête et il avait un cigare à la bouche.

Il regarda Bobby et Julia et sourit légèrement. Il semblait soudain lui être venu à l'esprit que Bobby était allé chercher une amie ainsi qu'une jeune femme à la gare. En effet, c'était le cas, et les choses qui entraient ainsi dans la tête de la jeunesse de Simon, alliées à des choses agréables, étaient difficiles à éliminer.

CHAPITRE IV
CORNE— *suite*

Simon avait été ce jour-là tout seul pour voir les roses de Mme Fisher-Fisher ; il l'a dit au dîner ce soir-là. Il s'était souvenu de l'invitation générale et l'avait évidemment prise comme une invitation personnelle. Bobby n'a pas demandé de détails ; D'ailleurs, son esprit était occupé à cette table à dîner, où Cerise cherchait constamment son regard et où Julia regardait. Ruminant, observant et parlant principalement à Simon.

Elle et Simon semblaient bien s'entendre, et un observateur attentif aurait pu imaginer que Simon était attiré, peut-être moins par ses charmes que par le fait qu'il la considérait comme la copine de Bobby et qu'il essayait d'éliminer Bobby, d'une manière douce, par ses propres attraits supérieurs.

Après le dîner, Simon l'oublia. Il avait d'autres affaires en cours. Il ne s'était pas habillé pour le dîner, il était simplement et élégamment vêtu du costume en serge bleue qu'il avait porté à Londres. Prenant son chapeau de paille et allumant un cigare, il quitta les autres et, après avoir flâné quelques minutes dans le jardin, quitta l'hôtel et se promena dans la rue.

La rue était déserte. Il atteignit le Bricklayer's Arms et, après avoir admiré la vue pendant un moment depuis le porche de cette hôtellerie, entra dans le bar.

L'amour de la basse compagnie, qui est parfois un trait distinctif de la jeunesse, vient de plusieurs causes : un goût pour le sport douteux, un comportement contre toute retenue, tout simplement l'amour de la basse compagnie, ou encore une sorte de mégalomanie, le désir d'être le premier. personne présente dans l'entreprise, un souhait facilement exaucé au prix de quelques euros.

Dans le cas de Simon, il s'agissait probablement d'un composé du lot.

Dans le bar du Bricklayer's Arms , il était de loin le premier ; et ce soir, grâce aux travaux de récolte du foin, il était le premier de vingt milles, car le seul occupant du bar était Dick Horn.

Horn, comme Mudd l'a déjà laissé entendre, était un personnage très douteux. Autrefois, il aurait été un braconnier pur et simple, aujourd'hui il l'était et bien d'autres encore. Le socialisme l'avait touché. Il désirait non seulement le gibier et le poisson des autres hommes, mais aussi leurs maisons et leurs meubles.

Il mesurait six pieds deux pouces, était très mince, avec des mâchoires en forme de lanterne et un regard sombre évoquant des antécédents roms – un individu des plus fascinants pour le philosophe, la police et les membres du public aux tendances artistiques. Il était assis en train de fumer et en compagnie d'une chope de bière brune lorsque Simon entra.

Ils se dirent bonsoir, Simon frappa avec une demi-couronne sur le comptoir, commanda de la bière pour lui, fit remplir la chope de Horn, puis s'assit. L'aubergiste, les ayant servis, les laissa ensemble, et ils commencèrent à causer du temps.

"Oui", dit Horn, "c'est assez beau pour ceux qui aiment ça, le temps ne m'importe pas. J'ai l'habitude du temps."

"Moi aussi", dit Simon.

« Les gentilshommes ne savent pas quel temps il fait », a déclaré Horn ; "Ils peuvent le prendre ou le laisser. C'est le pore qui sait quel temps il fait."

Ils étaient d'accord sur ce point.

Au bout d'un moment, Horn se leva, passa la tête par-dessus la cloison du bar pour voir que personne n'écoutait et se rassit.

"Tu te souviens de ce que je t'ai dit à propos de ces lignes de nuit ?"

"Oui."

"Eh bien, je vais en déposer ce soir dans la rivière en contrebas."

"Par jupiter!" dit Simon très intéressé.

"Si tu veux faire un peu de sport, tu aimerais peut-être me faire du mal ?" » dit Horn.

Simon se retint un instant, jouant avec cette idée, puis il succomba.

"Je suis avec toi", dit-il.

"Le gardien est à Ditchin'ham et s'occupe de cette partie du ruisseau", a déclaré Horn. "Ce n'est pas grave, car il ne vaut rien, et le connétable n'est rien de plus qu'un cheval aveugle. Il est absent, nous aurons donc la maison qui nous est propre, et vous avez dit que vous aviez hâte de voir comment la nuit se déroulerait. " C'était fini. Eh bien, vous le verrez, si vous venez avec moi. Attention, ce n'est pas pour tous les gentlemen que j'accepterais un travail comme celui-ci, mais vous êtes différent. Attention, ils appelleraient cela du braconnage. ", certains d'entre eux sont des magistrits boursouflés , et je prends un risque en vous laissant entrer. "

"Je ne dirai rien", dit Simon.

"C'est quand même un risque", a déclaré Horn.

"Je te paierai", dit Simon.

"' Aff une livre?"

"Oui, le voici. À quelle heure commences-tu ?"

"Pas avant deux heures", a déclaré Horn. « Mon coin de maison se trouve en contrebas de la colline. Vous connaissez la route de Ditchin'ham ? »

"Oui."

"Eh bien, c'est cette cabane là-bas, à droite de la route, avant qu'elle ne quitte le village. J'ai les lignes là-bas et tout. Vous y descendez dans deux heures et vous me trouverez à la porte."

"Je viendrai", dit Simon.

Alors ces deux dignes se séparèrent ; Horn s'essuyant la bouche du revers de la main, disant qu'il devait voir un homme à propos de furets, Simon retourna à l'hôtel.

CHAPITRE V
TIDD *contre* RENSHAW

Le chef d'un grand bureau ou d'une entreprise ne peut pas sortir de son orbite sans créer des perturbations. Brownlow, le chef de bureau et commandant en second de l'entreprise Pettigrew, devait apprendre ce fait à ses dépens.

Brownlow était un homme de quarante-cinq ans, dont les habitudes et les idées semblaient réglées par une horloge. Il vivait à Hampstead avec sa femme et ses trois enfants et se rendait chaque jour au bureau. C'était le résumé de sa vie lu par un étranger. Souvent, la simple déclaration couvre tout. Cela a presque été le cas dans le cas de Brownlow. Il n'avait aucune initiative. Il gardait les choses ensemble, il était absolument parfait dans la routine, il avait une connaissance approfondie de la loi, il avait raison, un bon mari et un bon père, mais il n'avait aucune initiative et, en dehors de la loi, très peu de connaissances sur les choses. le monde.

Imaginez donc ce monsieur correct, assis à son bureau le matin du lendemain de celui où Simon a pris ses dispositions pour braconner avec Horn. Il feuilletait quelques papiers lorsque Balls, le commandant en second, entra. Balls était jeune, portait des lunettes et avait des ambitions. Lui et Brownlow étaient de vieux amis et, lorsqu'ils étaient ensemble, ils parlaient sur un pied d'égalité.

"J'ai invité cet homme de James juste pour me voir", a déclaré Balls. « Même vieux jeu : je voulais voir Pettigrew. Il sait que j'ai tout le fil de l'affaire entre mes mains, mais ce n'est rien pour lui, il veut voir Pettigrew.

"Je sais", a déclaré Brownlow. "J'ai eu le même problème. Ils *verront* la tête."

"Quand est-il de retour ?" » demanda Balls.

"Je ne sais pas", a déclaré Brownlow.

"Où est-il allé ?"

"Je ne sais pas", a déclaré Brownlow. "Je sais seulement qu'il est parti, comme à la même époque l'année dernière. Il était alors parti dans un mois."

"Oh Seigneur !" » a déclaré Balls, qui n'avait rejoint le bureau que neuf mois auparavant et qui ne savait rien de l'escapade de l'année dernière. « Encore un mois de ce genre de tracas… un mois !

"Oui", a déclaré Brownlow. "Je devais le faire l'année dernière, et il n'a laissé aucune adresse, comme maintenant." Puis, après un moment de pause, "Je m'inquiète pour lui. Je n'y peux rien, il s'est passé une chose étrange l'année dernière. Je ne l'ai jamais raconté à personne auparavant. Il m'a appelé un jour à son domicile. chambre et il m'a montré une liasse de billets de banque. "Regarde ici, Brownlow," dit-il, "as-tu mis ça dans mon coffre-fort ?" Je n'avais jamais vu ces choses auparavant et je n'ai pas la clé de son coffre-fort privé. Je lui ai dit que non. Il m'a montré les billets, d'une valeur de dix mille livres. D'une valeur de dix mille livres, il ne pouvait pas expliquer. - *m'a* demandé si je les mettrais dans son coffre-fort. J'ai répondu "Non", comme je vous l'ai dit. "Eh bien, c'est très étrange", a-t-il dit. Puis il s'est levé en regardant le sol. Puis il a dit tout d'un coup , 'Cela n'a pas d'importance.' Le lendemain, il partit en vacances pour un mois, me faisant dire de continuer. »

"Bizarre", dit Balls.

"Plus que bizarre", répondit Brownlow. "Je l'attribue à la tension mentale ; c'est un travailleur acharné."

"Ce n'est pas une tension mentale", a déclaré Balls. "Il est aussi vivant que toi ou moi et aussi enthousiaste, et il ne se surmene pas, c'est autre chose."

"Eh bien, j'aimerais que cela s'arrête", a déclaré Brownlow, "car je suis presque mort d'inquiétude avec les clients qui lui écrivent et essaient d'inventer des excuses, et mon travail est doublé."

"Le mien aussi", a déclaré Balls. Il sortit et Brownlow poursuivit ses affaires. Il n'y était pas occupé depuis longtemps lorsque Morgan, l'employé de bureau, apparut.

"M. Tidd, monsieur, pour voir M. Pettigrew."

"Faites-lui entrer", a déclaré Brownlow.

Un instant plus tard, M. Tidd est apparu.

M. Tidd était un homme petit, mince et de vieille fille ; il marchait légèrement, comme un oiseau, et portait dans une main un grand chapeau à bandeau noir et dans l'autre un parapluie bien plié. Il était d'ailleurs l'un des meilleurs clients de Pettigrew.

"Bonjour", a déclaré M. Tidd. "J'ai appelé pour voir M. Pettigrew au sujet de ces papiers."

"Oh oui", a déclaré Brownlow. « Asseyez-vous, M. Tidd. Ces papiers… M. Pettigrew les a examinés.

"Est-ce que M. Pettigrew n'est pas là ?"

"Non, M. Tidd, il n'est pas là pour le moment."

"Quand est-ce qu'il reviendra probablement?"

"Eh bien, c'est douteux ; il m'a laissé le commandement."

Le bout du nez de M. Tidd bougeait avec inquiétude.

"Vous êtes en charge de mon dossier ?"

"Oui, de toute cette affaire."

"Je peux parler en toute confidentialité ?"

"Absolument."

"Eh bien, j'ai décidé d'arrêter la procédure. En fait, je suis pris dans un trou."

"Oh!"

"Oui. Mme Renshaw a, d'une manière illicite, obtenu un document avec ma signature attachée - un document très grave. Ceci est strictement entre nous."

"Strictement."

"Et elle menace de l'utiliser contre moi."

"Oui."

"Pour l'utiliser contre moi, à moins que je ne lui rende immédiatement la lettre que j'ai mise entre les mains de M. Pettigrew."

"Oh!"

"Oui. C'est une femme violente et très vicieuse. Je n'ai pas dormi de la nuit. J'habite, comme vous le savez peut-être, à Hitchin . J'ai pris le premier train que je pouvais facilement prendre pour la ville ce matin."

Brownlow commençait à se rendre compte de l'horrible fait que Simon n'avait pas rapporté ces papiers au bureau. Il ne dit rien; ses lèvres, pendant un moment, étaient devenues sèches.

"Comment a-t-elle obtenu ce document portant mon nom, je ne peux pas le dire", a déclaré M. Tidd, "mais elle l'utilisera très certainement contre moi à moins que je ne renvoie cette lettre."

"Peut-être", dit Brownlow en se reprenant, "peut-être qu'elle est seulement menaçante, bluffante, comme on dit."

"Oh non, ce n'est pas le cas", dit l'autre. "Si vous la connaissiez, vous ne diriez pas cela ; non, en effet, vous ne diriez pas cela. Elle est la dernière femme à menacer de ne pas accomplir. Tant que ce document ne sera pas entre ses mains, je ne me sentirai pas en sécurité."

"Vous devez être prudent", a déclaré Brownlow, luttant pour gagner du temps. « Comment cela se passerait-il si je la voyais ? »

"Inutile", a déclaré M. Tidd.

"Puis-je demander--"

"Oui?"

"Le document auquel votre nom est attaché et qui est en sa possession est-il... euh... préjudiciable... je veux dire, clairement, est-il susceptible de vous causer un préjudice grave ?"

"Le document", a déclaré M. Tidd, "a été écrit par moi dans un moment d'impulsion pour une dame qui est... l'épouse d'un autre gentleman."

"C'est une lettre ?"

"Oui, c'est une lettre."

"Je vois. Eh bien, M. Tidd, *votre* document, celui que vous avez hâte de rendre en échange de ce document, est en possession de M. Pettigrew ; il est tout à fait sûr."

"Sans doute", a déclaré M. Tidd, "mais je veux que ce soit entre mes mains pour le rendre moi-même aujourd'hui."

"Je l'ai envoyé avec les autres papiers à la maison privée de M. Pettigrew", a déclaré Brownlow, "et il ne l'a pas encore rendu."

"Oh ! Mais je le veux aujourd'hui."

"C'est très malheureux", a déclaré Brownlow, "mais il est absent et j'ai bien peur qu'il ait dû emporter les papiers avec lui pour examen."

"Bonté divine!" dit Tidd. "Mais si c'est le cas, que dois-je faire ?"

"Tu ne peux pas attendre ?"

"Comment puis-je attendre ?"

"Cher moi, cher moi", dit Brownlow, presque perdu, "c'est très malheureux."

Tidd semblait être d'accord.

Ses lèvres étaient devenues pâles. Puis il s'écria : « J'ai placé mes intérêts vitaux entre les mains de M. Pettigrew, et maintenant, au moment critique, je découvre ceci ! a-t-il dit. "Partez ! Mais vous devez le trouver, vous devez le trouver, et le trouver immédiatement."

S'il avait seulement su ce qu'il allait trouver, il aurait peut-être été moins impatient.

"Je le trouverai si je peux", a déclaré Brownlow. Il a sonné et quand Morgan est apparu, il a envoyé chercher Balls.

"M. Balls", dit Brownlow avec une tentative spasmodique de clin d'œil, "ne pouvez-vous pas obtenir l'adresse actuelle de M. Pettigrew ?"

Les boules ont compris.

"Je verrai", dit-il. Il sortit et revint dans une minute.

"Je suis désolé de ne pas pouvoir le faire", a déclaré Balls. "M. Pettigrew n'a pas laissé son adresse lorsqu'il est parti."

"Merci, M. Balls", a déclaré Brownlow. Puis à Tidd, lorsqu'ils furent seuls : "C'est aussi difficile pour moi que pour vous, M. Tidd ; je ne sais pas quoi faire."

"Nous devons le trouver", a déclaré Tidd.

"Certainement."

"Est-ce qu'il aurait par hasard laissé son adresse dans sa maison particulière ?"

"Nous pouvons voir", a déclaré Brownlow. "Il n'a pas de téléphone, mais j'y vais moi-même."

"J'irai avec toi", dit Tidd. "Vous me comprenez, c'est une question de vie ou de mort, de ruine, de ma femme, de cette femme et de l'autre."

"Je vois, je vois, je vois", dit Brownlow en retirant son chapeau de sa fixation au mur. "Viens avec moi, nous le trouverons s'il faut le trouver."

Il sortit précipitamment, suivi de M. Tidd, et, dans Fleet Street, il parvint à trouver un taxi. Ils y montèrent et se dirigèrent vers King Charles Street.

Il y eut une longue pause après qu'on frappa, puis la porte s'ouvrit, révélant Mme Jukes. Brownlow lui était connu.

"Mme Jukes," dit Brownlow, "pouvez-vous me donner l'adresse actuelle de M. Pettigrew ?"

"Non, monsieur, je ne peux pas."

"Il a été rappelé, n'est-ce pas ?"

"Je ne pense pas, monsieur ; il est parti pour une affaire ou une autre. Mudd est parti avec lui."

"Oh cher!" dit Tidd.

"Ils se sont arrêtés à l'hôtel Charing Cross", a déclaré Mme Jukes, "et j'ai ensuite reçu un message selon lequel ils partaient pour le pays. Il venait de M. Mudd, et il a dit qu'ils pourraient être dans un mois."

"Dans un mois!" » dit Tidd, sa voix étrangement calme.

"Oui Monsieur."

"Bonne grace!" dit Brownlow. Puis à Tidd : « Vous voyez où je suis placé ?

"Dans un mois", a déclaré Tidd; il semblait incapable de surmonter cet obstacle de la pensée.

"Oui, monsieur", a déclaré Mme Jukes.

Ils sont montés dans le taxi et se sont rendus à l'hôtel Charing Cross, où ils ont été informés que M. Pettigrew était parti et n'avait laissé aucune adresse.

Puis soudain, une idée vint à Brownlow- Oppenshaw . Le médecin le sait peut-être ; à défaut du médecin, c'était fini.

« Viens avec moi », dit-il ; "Je pense connaître quelqu'un qui pourrait avoir l'adresse." Il monta de nouveau dans le taxi avec l'autre, donna l'adresse de Harley Street et ils repartirent. L'horrible irrégularité de toute cette affaire empoisonnait l'esprit de Brownlow : la recherche du chef d'une entreprise qui aurait dû être dans son bureau et qui détenait le document d'une importance vitale pour un client.

Il n'a rien dit, pas plus que M. Tidd, qui était probablement occupé à examiner les faits de son cas et la position que sa femme occuperait lorsque cette lettre lui serait remise entre les mains par Mme Renshaw.

Ils se sont arrêtés au 110A , Harley Street.

"Eh bien, c'est la maison d'un médecin", a déclaré Tidd.

"Oui", a déclaré Brownlow.

Ils frappèrent à la porte et furent admis.

Le domestique, faute de rendez-vous, leur dit qu'il verrait ce qu'il pouvait faire et les fit entrer dans la salle d'attente.

"Dites au Dr Oppenshaw que c'est M. Brownlow du bureau de M. Pettigrew", a déclaré Brownlow, "pour une affaire très urgente."

Ils prirent place et tandis que M. Tidd essayait de lire un volume de *Punch* à l'envers, Brownlow se rongea les ongles.

Peu de temps après , le domestique revint et demanda à M. Brownlow d'intervenir.

Oppenshaw n'a pas tourné autour du pot. Lorsqu'il entendit ce que Brownlow voulait, il dit franchement qu'il ne savait pas où se trouvait M. Pettigrew ; il savait seulement qu'il avait séjourné à l'hôtel Charing Cross. Mudd, le domestique, était avec lui.

"Il est normal que vous connaissiez le poste", a déclaré Oppenshaw , "puisque vous dites que vous êtes le commis en chef et que toute la responsabilité repose sur vous en l'absence de M. Pettigrew." Puis il a expliqué.

"Mais s'il est comme ça, à quoi ça sert de le retrouver ?" dit Brownlow horrifié. "Un homme atteint d'une maladie mentale!"

"Plus une maladie qu'une maladie", a déclaré Oppenshaw .

"Oui, mais... comme ça."

"Bien sûr", a déclaré Oppenshaw , "il peut à tout moment redevenir lui-même, comme le doigt d'un gant qui se retourne."

"Peut-être", dit l'autre désespérément, "mais jusqu'à ce qu'il se retourne..."

A ce moment, le bruit d'une cloche de téléphone retentit du dehors.

« Jusqu'à ce qu'il se retourne, bien sûr, il est inutile pour les affaires », a déclaré Oppenshaw ; "Il n'aurait aucun souvenir, d'abord, du moins, aucun souvenir des affaires."

Le domestique entra.

"S'il vous plaît, monsieur, un appel urgent pour vous."

"Un instant", a déclaré Oppenshaw . Il est sorti.

Il était de retour en moins de deux minutes.

"J'ai son adresse", dit-il.

"Dieu merci!" dit Brownlow.

"H'm," dit Oppenshaw ; "Mais il n'y a pas de bonnes nouvelles. Il séjourne au Rose Hotel, à Upton-on-Hill, et il a eu des ennuis. C'est Mudd qui a téléphoné, et il semblait à moitié fou ; il a dit qu'il ne l'avait pas fait. Je n'aime pas entrer dans les détails au téléphone, mais il voulait que je vienne arranger les choses. Je lui ai dit que c'était tout à fait impossible aujourd'hui ; puis il a semblé s'effondrer et m'a coupé la parole.

"Que dois-je faire?"

"Eh bien, il n'y a que deux choses à faire : dire à ce monsieur que l'esprit de M. Pettigrew est affecté, ou l'emmener là-bas dans l'hypothèse où ce choc aurait pu restaurer M. Pettigrew."

"Je ne peux pas lui dire que l'esprit de M. Pettigrew est affecté", a déclaré Brownlow. "Je préférerais faire quelque chose que cela. Je préférerais l'emmener là-bas avec la chance qu'il aille mieux - peut-être même s'il ne l'est pas, la vue de moi et de M. Tidd pourrait le rappeler à lui."

"Peut-être", a déclaré Oppenshaw , qui était pressé et trop heureux de pouvoir mettre fin à l'affaire. "Peut-être. Quoi qu'il en soit, il est utile d'essayer, et dites à Mudd que mon départ est absolument inutile. Je serai heureux de faire tout ce que je peux par lettre ou par téléphone."

Brownlow prit son chapeau, puis reprit Tidd et lui annonça l'heureuse nouvelle qu'il avait l'adresse de Simon. "Je t'accompagnerai moi-même", a déclaré Brownlow. "Bien sûr, la dépense incombera au bureau. Je dois envoyer un télégramme au bureau et à ma femme pour dire que je ne reviendrai pas ce soir. Nous ne pouvons pas arriver à Upton avant ce soir. Nous aurons partir comme nous sommes, sans même attendre de faire nos valises."

"Cela n'a pas d'importance, cela n'a pas d'importance", a déclaré Tidd.

Ils étaient maintenant dans la rue et s'entassaient dans le taxi qui les attendait.

"Victoria Station", a déclaré Brownlow au chauffeur. Puis à Tidd : "Je peux télégraphier depuis la gare."

Ils sont partis.

CHAPITRE VI
CE QUI EST ARRIVÉ À SIMON

"Il est revenu il y a deux heures, monsieur, et il était dans sa chambre il y a dix minutes, mais il est parti."

"Eh bien," dit Bobby, qui était sur le point de se coucher, "il sera bientôt de retour ; il ne peut pas y avoir grand mal ici. Tu ferais mieux de t'asseoir pour lui, Mudd."

Il est parti se coucher. Il resta un moment à lire et à penser à Cerise ; puis il éteignit la lumière et s'endormit.

Il a été réveillé par Mudd. Mudd avec une bougie à la main.

"Il n'est pas encore revenu, M. Robert."

Bobby s'assit et se frotta les yeux. "Pas de retour ? Oh, oncle Simon ! Quelle heure est-il ?"

"Parti, monsieur."

"Désolé ! Qu'est-ce qui a bien pu lui arriver, Mudd ?"

"C'est ce que je me demande", a déclaré Mudd.

Un pas lourd retentit dans l'allée de gravier devant l'hôtel, puis une sonnerie retentit. Mudd, bougie à la main, s'enfuit.

Bobby entendit des voix en bas. Cinq minutes passèrent, puis Mudd réapparut – horrible à regarder.

"Ils l'ont emmené", a déclaré Mudd.

"Quoi?"

"Il a été braconné ."

"Braconnage!"

"La rivière du colonel Salmon, lui et un homme, et l'homme est parti. Il est chez le policier, et il dit qu'il nous le laissera si nous le payons sous caution, vu que c'est un vieux monsieur et qu'il ne l'a fait que pour le plaisir de la chose."

"Dieu merci!"

"Mais il devra comparaître devant les magistrats le mercredi , que ce soit ou non - devant les magistrats - *lui* !"

"Le diable!" dit Bobby. Il se leva et enfila rapidement quelques vêtements.

"Lui devant les magistrats - dans son état actuel ! *Oh* , Seigneur !"

"Fermez-la!" dit Bobby. Ses mains tremblaient alors qu'il enfilait ses affaires. Les images de Simon devant les magistrats défilaient devant lui. L'argent était la seule chance. Le policier pourrait-il être soudoyé ?

Se précipitant en bas et dehors dans la nuit au clair de lune, il trouva l'officier. Aucun des employés de l'hôtel n'était venu au son de la cloche. Bobby, d'une voix sourde et sous les étoiles, écouta le conte de la Loi, puis il s'essaya à la corruption.

Inutile. L'agent Copper, même s'il n'était peut-être pas plus bon qu'un cheval aveugle, selon Horn, était incorruptible mais consolateur.

"Ce ne sera que quelques livres bien", dit-il. "Peut-être pas ça, vu ce qu'il est et c'est fait pour une plaisanterie. Horn va l'avoir dans le cou, mais pas lui. Il est chez moi maintenant, et vous pouvez le récupérer si vous acceptez de le laisser sous caution, il gagnera. " Je ne me lâche plus. C'est un gentil vieux monsieur, mais un peu particulier, je pense.

L'agent Copper semblait assez léger sur cette question et ne considérait pas cela comme une infraction. Quelques livres suffiraient ! Il n'a peut-être pas pleinement apprécié les nuances de la situation : un JP et membre de l' Athenæum et de la Société des Antiquaires élevé pour braconnage en compagnie d'un personnage maléfique nommé Horn !

Simon non plus, qu'ils trouvèrent assis au bord de la table dans le salon des Copper, en train de parler à Mme Copper, qui était enveloppée dans un châle.

Il rentra à l'hôtel avec eux plutôt silencieux mais pas déprimé ; il essayait en effet de parler et de rire de cette affaire. Ce fut la goutte d'eau qui fit déborder le vase, et Bobby éclata, lui donnant un "mâchoire" complet et du premier schéma. Puis ils l'ont accompagné au lit et ont éteint la lumière.

Au déjeuner, il était redevenu lui-même, et la convocation qui arrivait à onze heures ne lui fut pas montrée. Personne n'était au courant de cette affaire, à l'exception de tout le village, de tous les domestiques de l'hôtel, Bobby et Mudd.

Mudd, distrait, passa la matinée à se promener ici et là, essayant de reprendre ses esprits et d'élaborer un plan. Simon avait bien sûr donné son nom, même si cela n'avait pas beaucoup d'importance puisqu'il résidait à l'hôtel. Il était impossible de l'expulser, de le déplacer ou de faire semblant qu'il était malade ; rien n'était possible sauf le banc des magistrats, présidé par le colonel Salmon, et la publicité.

A onze heures et demie ou à midi moins le quart, il envoya le message désespéré à Oppenshaw ; puis il s'effondra dans une sorte de résignation froide, avec des crises parfois brûlantes.

CHAPITRE VII
TIDD *contre* BROWNLOW

Ce jour-là, à quatre heures, une voiture arriva à l'hôtel et deux messieurs en descendirent. On les conduisit au café et on fit venir Mudd. Il est venu, s'attendant à trouver des policiers, et a trouvé Brownlow et M. Tidd.

"Un instant, M. Tidd", dit Brownlow, puis il emmena Mudd dehors dans le couloir.

"Il n'est pas digne d'être vu", a déclaré Mudd, lorsque l'autre lui a expliqué. "Aucun client ne doit le voir. Il a assez raison de le regarder et de lui parler, mais il n'est pas lui-même. Qu'est-ce qui vous a poussé à l'amener ici, M. Brownlow, maintenant, de tous les temps ?"

Brownlow sursauta et se tourna. M. Tidd avait ouvert la porte du café, et Dieu sait quelle partie de leur conversation il avait entendu.

"Un instant", dit Brownlow.

"Je n'attendrai plus", a déclaré M. Tidd. "Cela doit être expliqué. M. Pettigrew est-il ici ou non ? Non, je n'attendrai pas."

Un serveur passa à ce moment avec un plateau de thé.

« Est-ce que M. Pettigrew est dans cet hôtel ? » demanda Tidd.

"Il est dans le jardin, je crois, monsieur."

Brownlow a essayé de se mettre devant Tidd pour l'éloigner du jardin ; Mudd essaya de lui prendre le bras. Il les repoussa.

CHAPITRE VIII
DANS LA TELLERE

Il faut retourner à trois heures. A trois heures, Bobby, se promenant dans le jardin en fumant une cigarette, avait traversé le devant de la tonnelle — la tonnelle n° 1. Le chemin d'herbe, silencieux comme un tapis de dinde, ne trahissait pas ses pas.

Il y avait deux personnes dans la tonnelle et ils « canodaient » : Simon et Julia Delyse . Peut-être qu'elle gardait sa main, ou que l'attirance que Simon avait toujours eu pour elle l'avait trahie en lui permettant de lui tenir la main. Quoi qu'il en soit, il le tenait. Bobby la regarda et Julia lui retira la main. Simon rit ; il semblait penser que c'était une bonne plaisanterie, et son âme vaine était sans doute contente d'avoir eu raison de Bobby avec la fille de Bobby.

Bobby est décédé en disant: "Je vous demande pardon." C'était la seule chose à laquelle il pensait dire. Puis, une fois hors de portée, il rit à son tour. Il avait eu raison de Julia. Cette présence maussade ne couverait plus.

Une heure plus tard, Simon, marchant seul et en méditation dans le jardin, atteignait le terrain de boules. Il s'approcha de la tonnelle n°2. L'herbe faisant taire ses pas, il passa devant l' ouverture de la tonnelle et regarda à l'intérieur. Les deux personnes présentes ne le virent pas un instant, puis ils ouvrirent.

C'était Cerise et Bobby.

Simon restait debout, bouche ouverte, immobile, le cigare laissé tomber sur l'herbe.

Il avait ri quand Bobby l'avait surpris avec Julia. Il ne riait plus maintenant.

Le choc du braconnage l'avait laissé intact, inébranlable, mais Cerise, d'une manière étrange, était son centre de gravité, sa boussole et parfois son gouvernail. Il aimait Cerise ; les autres filles étaient des fantômes. Peut-être que Cerise était la seule chose réelle dans son état mental.

Pendant un moment, il resta debout, la main sur la tête, comme un homme abasourdi.

Bobby a couru vers lui et l'a rattrapé.

"Où suis-je?" dit l'oncle Simon. "Oh—oh—je vois." Il s'appuya lourdement sur Bobby, regardant autour de lui d'un air hébété comme un homme à moitié réveillé. Madame Rossignol, qui venait de sortir de l'hôtel, voyant son état, courut vers lui, et Simon, comme s'il reconnaissait un ange gardien, lui tendit la main.

Puis Bobby et la vieille dame, doucement, très doucement, commencèrent à le ramener à la maison.

Alors qu'ils approchaient de l'entrée arrière, trois hommes en sortirent, l'un après l'autre.

Simon s'arrêta.

Il avait reconnu Tidd ; il semblait aussi mieux reconnaître sa propre position et se souvenir. Bobby sentit sa main serrer fermement la sienne.

"Eh bien, voici M. Tidd", a déclaré Simon.

« M. Pettigrew, » dit Tidd, « où sont mes papiers – les papiers dans le cas de Renshaw ?

"Tidd *contre* Renshaw", dit l'esprit précis de Simon. "Ils sont dans le tiroir en haut à gauche de mon bureau à Charles Street, Westminster."

CHAPITRE IX
CHAPITRE DERNIER

"Vous avez absolument tort." Julia Delyse parlait. Elle était assise par hasard à une assemblée générale de la confrérie Pettigrew tenue une demi-heure avant Bench dans un salon de l'hôtel Rose.

Simon avait opposé son veto à l'idée d'un avocat pour le défendre – cela ne ferait que créer davantage de discussions, et d'après ce qu'il pouvait démontrer, son cas était sans défense . Il se jetterait à la merci du tribunal. Les autres étaient d'accord.

" Jetez-vous à la merci du tribunal ! Avez-vous déjà vécu à la campagne ? Savez-vous à quoi ressemblent ces vieux magistrats ? Ne savez-vous pas que le *Wessex Chronicle* publiera des articles à ce sujet, sans parler du journal local. " J'ai tout réfléchi. J'ai télégraphié pour Dick Pugeot . "

« Vous avez télégraphié ? » dit Bobby.

"Hier soir. Tu te souviens que je t'ai demandé son adresse, et il est là."

Le klaxon d'un moteur venait de l'extérieur.

Julia se leva et quitta la pièce.

Bobby la suivit et l'arrêta dans le passage.

« Julia, » dit-il, « si tu peux le sortir de là et éviter que son nom ne soit dans les journaux, tu seras une brique. Tu es une brique, et j'ai été un… un… »

"Je sais", dit Julia, "mais tu ne pouvais pas t'en empêcher, et moi non plus. Je ne suis pas Cerise. L'amour est une folie et le monde va mal. Maintenant, reviens en arrière et dis à ton oncle de ne rien dire au tribunal et de faire semblant c'est un imbécile. Si Pugeot est l'homme que vous prétendez, il sauvera son nom. Le vieux M. Pettigrew doit être camouflé.

"Mon Dieu, Julia", s'écria Bobby, la vision de gnous imitant des zèbres se dressant devant lui, "tu ne peux pas vouloir le peindre ?"

"Peu importe ce que je veux dire", dit Julia.

Le banc Upton était un vieux banc. Il existait depuis l'époque du juge Shallow. Elle tenait ses séances dans la salle d'audience du tribunal de police d'Upton, et y rendait justice, en quelque sorte, le mercredi matin, aux « ivrognes », aux petits chapardeurs, aux braconniers, aux vagabonds et à tous les autres malheureux qui comparaissaient devant elle.

Le colonel Grouse en était le président. Avec lui ce matin étaient assis le major Partridge-Cooper, le colonel Salmon, M. Teal et le général Grampound . Les journalistes du journal local et du *Wessex Chronicle* étaient à leur place. Le greffier de la Cour, le vieux M. Quail, à moitié aveugle et fouillant dans ses papiers, était à sa table ; quelques agents du village, dont l'agent Copper, se trouvaient à la porte et il n'y avait pas de grand public.

Le grand public était libre d'entrer, mais aucun villageois n'est jamais venu. Il était entendu que la magistrature décourageait les fainéants et les curieux.

Le droit inaliénable du public de pénétrer dans un tribunal de justice et de voir Thémis à l'œuvre n'avait jamais été poussé. Le Banc était bien plus que le Banc : c'était la Gentry et le Pouvoir d'Upton, [1] contre lesquels aucun homme ne pouvait s'opposer. Horn seul, dans les brasseries et sur les lieux publics, avait lutté contre ce shibboleth ; il avait trouvé quelques sympathisants , mais aucun soutien.

À onze heures précises, le contingent Pettigrew arriva et prit place, suivi d'un grand homme jaune, l'hon. Dick Pugeot . Il était connu des magistrats, mais la Justice est aveugle et aucune marque de reconnaissance ne se manifesta, tandis qu'un constable, se détachant des autres, se dirigeait vers la porte et criait :

"Richard Horn."

Horn, qui avait été arrêté et libéré sous caution, et qui de toute évidence s'était lavé et avait enfilé ses plus beaux vêtements, entra, se dirigea vers le quai, comme une longue pratique, et y monta.

« Simon Pettigrew », appela le greffier.

Simon se leva et suivit Horn. Ayant demandé à Julia de ne rien dire, il n'a rien dit.

Alors Pugeot se leva.

« Je vous demande pardon, » dit Pugeot ; " vous vous êtes trompé sur le nom de mon ami. Pattigraw , s'il vous plaît ; c'est un Français, bien qu'il réside depuis longtemps en Angleterre ; et ce n'est pas Simon, mais Sigismond . "

"Rectifiez l'acte d'accusation", a déclaré le colonel Grouse. "Premier témoin."

Simon, abasourdi et horrifié comme un avocat par cette ligne d'action, essaya de parler, mais n'y parvint pas. L'idée géniale de Julia, reprise avec enthousiasme par Pugeot , avait évidemment pour but de tromper les journalistes et de sauver le nom de Simon le Notaire. Pourtant, c'était horrible, et il avait l'impression que Pugeot essayait de le transporter en pick-up sur un pont tout à fait impossible.

Il devinait maintenant pourquoi cela lui avait été imposé. Ils savaient qu'en tant qu'avocat, il n'aurait jamais accepté une telle déclaration.

Alors Copper, se hissant à la barre des témoins, attachant sa ceinture et embrassant le Testament, commença :

"Je jure devant A'Mighty Gawd que le témoignage que je donnerai sera la vérité, toute la vérité, et rien que la vérité, alors aide-moi, Gawd, Amen, le soir du 16, poursuivant mon passage à Porter's Meadows, je vois accusé en compagnie de Horn——"

"Que faisaient-ils?" » demanda le vieux M. Teal, qui était occupé à prendre des notes comme n'importe quel vrai juge.

" Je marche vers la rivière, monsieur."

"Dans quelle direction ?"

"En amont, monsieur."

"Continue."

Le cuivre a continué.

"En traversant les prairies, ils sont restés jusqu'à la rivière, moi après eux———"

"Quelle est la distance derrière ?" » demanda le major Partridge-Cooper.

« Un demi-champ de longueur, monsieur, jusqu'à ce qu'ils atteignent le coude du ruisseau au-delà duquel le prisonnier Horn commença à installer ses lignes de nuit, aidé par le prisonnier Puttigraw . « Bonjour », dis-je, et Horn s'enfuit, et je fermai avec le un autre."

"A-t-il résisté ?"

"Non, monsieur. Je l'ai accompagné jusqu'à chez moi assez tranquillement."

"C'est tout ?"

"Oui Monsieur."

"Vous pouvez vous retirer."

Les prisonniers avaient plaidé coupable et il n'y avait aucune autre preuve. Simon a commencé à voir la lumière. Il comprit tout de suite qu'il s'agirait d'une amende, que les magistrats et la presse l'avaient avalé comme le précise Pugeot , que son nom était sauvé. Mais il comptait sans Pugeot ,

Pugeot avait tout fait dans la vie, sauf agir en tant qu'avocat, et il était déterminé à ne pas laisser échapper l'occasion. Plusieurs eaux-de-vie et sodas à l'hôtel n'avaient pas diminué son enthousiasme pour la publicité, et il se leva.

"Monsieur le président et les juges", a déclaré Pugeot . "Je voudrais dire quelques mots au nom de mon ami, le prisonnier, que je connais depuis de nombreuses années et qui se trouve maintenant dans cette situation malheureuse sans que ce soit de sa faute."

"Comment tu comprends ça ?" » demanda le colonel Grouse.

"Je vous demande pardon?" dit Pugeot , freiné dans son éloquence. "Oh oui, je vois ce que tu veux dire. Eh bien, en fait, en fait, en fait, eh bien, sans trop insister là-dessus, en laissant de côté le fait qu'il est le dernier homme à faire une chose. de ce genre, il a eu des ennuis d'argent en France.

"Voulez-vous établir un cas de *non compos mentis* ?" » demanda le vieux M. Teal. "Aucune preuve médicale n'a été présentée."

— Pas du tout, dit Pugeot ; "Il a aussi raison que moi, seulement il a eu des soucis." Puis, confidentiellement, et s'adressant à la Chambre en tant que semblables : « Si vous voulez en faire une question d'amende, je vous garantis que tout ira bien — et d'ailleurs — pensée brillante —, sa femme veillera sur lui. ".

« Sa femme est-elle présente ? » demanda le colonel Grouse.

"C'est la dame, je crois", dit le colonel Salmon en regardant dans la direction des Rossignol , qu'il se souvenait vaguement d'avoir vu chez Squire Simpson avec Simon.

Pugeot , acculé, se retourna et regarda Madame Rossignol rougissante.

« Oui, dit-il sans broncher, c'est bien la dame. »

Puis le souvenir lui vint avec un bruit sourd qu'il avait présenté les Rossignols comme Rossignols au Squire Simpson et qu'ils étaient enregistrés à l'hôtel comme Rossignols . Il avait l'impression d'être dans une voiture qui dérapait, mais rien ne se passait, aucune voix accusatrice ne s'élevait pour lui faire mentir, et le tribunal se retirait pour examiner sa sentence, qui était d'une guinée d'amende pour Sigismond et d'un mois pour Horn.

"Vous les avez épousés", dit Julia alors qu'ils retournaient à l'hôtel, laissant les autres suivre. "Je *n'ai jamais* voulu que tu dis ça. Mais c'est peut-être pour le mieux ; c'est une bonne femme et elle prendra soin de lui, et il devra *terminer* l'affaire, n'est-ce pas ?"

"Plutôt, et c'est du très bon travail !" dit Pugeot . "Maintenant, je dois soudoyer l'homme de l'hôtel et bourrer le vieux Simpson de faits concrets. Je ne me suis jamais autant amusé de ma vie. Je dis, mon vieux, où traînes-tu à Londres ?"

Julia lui a donné son adresse.

Ce fut le début de la fin de Pugeot en tant que célibataire – également de Simon, qui n'aurait jamais été mis à la hauteur sans le discours de Pugeot – également de M. Ravenshaw, qui, dans ses rêves les plus fous, n'aurait jamais pu prévoir son mariage avec La belle-fille de Simon, une semaine après le mariage de Simon avec sa mère.

Parmi tous ces gens, seul Mudd reste célibataire, pour la simple et efficace raison qu'il n'y a personne avec qui le marier. Il vit avec les Pettigrew dans Charles Street, et son seul problème dans la vie est la crainte d'une nouvelle épidémie de la part de Simon. Cela ne s'est pas encore produit – et cela ne se produira jamais, s'il y a une part de vérité dans la formule d' Oppenshaw selon laquelle le mariage est le seul remède aux illusions de la jeunesse.

LA FIN

NOTE DE BAS DE PAGE:

[1] C'était avant que les politiciens ne modifient la magistrature.